D0901108

Construction Fieldbook

(Flip for Spanish version.)

Table of Contents

(The red numbers preceding each paragraph and page numbers at the bottom of each page are the same in Spanish and English for quick reference.)

MANCOMM®

Changing The Complex Into Compliance®

MANCOMM
315 West Fourth Street
Davenport, Iowa 52801
(563) 323-6245
1-800-MANCOMM
(626-2666)
Fax: (563) 323-0804
Website: http://www.mancomm.com
E-mail: safetyinfo@mancomm.com

UPC 6 88550 00372 8

MANCOMM®

Changing The Complex Into Compliance®

MANCOMM
315 West Fourth Street
Davenport, Iowa 52801
(563) 323-6245
1-800-MANCOMM
(626-2666)
Fax: (563) 323-0804
Website: http://www.mancomm.com
E-mail: safetyinfo@mancomm.com

ISBN:1-59959-440-4

Subject Index

Most Common Standards Cited for Construction*

Rank	Standard	Description
1	1926.501	Fall Protection Scope/Applications/Definitions
2	1926.451	Scaffolding
3	1926.1053	Ladders
4	1926.503	Fall Protection Training Requirements
5	1926.100	Head Protection
6	1926.102	Eye and Face Protection
7	1926.453	Aerial Lifts
8	1926.405	Electrical Wiring Methods, Components, and Equipment, General Use
9	1926.20	Construction, General Safety and Health Provisions
10	1926.651	Excavations, General Requirements
11	1926.404	Electrical, Wiring Design and Protection
12	1926.502	Fall Protection Systems Criteria and Practices
13	1926.454	Training Requirements - Scaffolds
14	1926.652	Excavations, Requirements for Protective Systems
15	1926.403	Electrical, General Requirements

** 29 CFR 1926 standards cited by federal OSHA from October 2011 to September 2012*

1. Access to Medical and Exposure Records

2. Each employer shall permit employees, their designated representatives, and OSHA direct access to employer-maintained exposure and medical records. The standard limits access only to those employees who are, have been (including former employees), or will be exposed to toxic substances or harmful physical agents. **§1910.1020(e)(2)(iii) and (3)(i) made applicable to construction by §1926.33**

3. Each employer must preserve and maintain accurate medical and exposure records for each employee. Exposure records and data analyses based on them are to be kept for 30 years. Medical records are to be kept for at least the duration of employment plus 30 years. Background data for exposure records such as laboratory reports and work sheets need to be kept for only 1 year.

4. Records of employees who have worked for less than 1 year need not be retained after employment, but the employer must provide these records to the employee upon termination of employment. First-aid records of one-time treatment need not be retained for any specified period. **§1910.1020(d) made applicable to construction by §1926.33**

5. Accident Prevention Signs and Tags

6. Danger signs shall be used only where an immediate hazard exists. **§1926.200(b)(1)**

7. Caution signs shall be used only to warn against potential hazards or to caution against unsafe practices. **§1926.200(c)(1)**

8. Accident Prevention Responsibilities

9. Such programs shall provide for frequent and regular inspections of the job sites, materials, and equipment to be made by competent persons designated by the employers. **§1926.20(b)(2)**

10. Aerial Lifts

11. Aerial lifts, powered or manual, include, but are not limited to, the following types of vehicle-mounted aerial devices used to elevate personnel to jobsites above ground: extensible boom platforms, aerial ladders, articulating boom platforms, and vertical towers. **§1926.453(a)(1)**

12. When operating aerial lifts, employers must ensure employees are
13. • Trained,
14. • Authorized,
15. • Setting brakes and using outriggers,
16. • Not exceeding boom and basket load limits,
17. • Using personal fall protection when required, and
18. • Not using devices such as ladders, stilts, or step stools to raise the employee above the basket.

19. In addition, manufacturers or the equivalent must certify, in writing, all modifications to aerial lifts. **§§1926.453(a)(2) and 1926.453(c)**

20. ## Air Tools

21. Pneumatic power tools shall be secured to the hose in a positive manner to prevent accidental disconnection. **§1926.302(b)(1)**

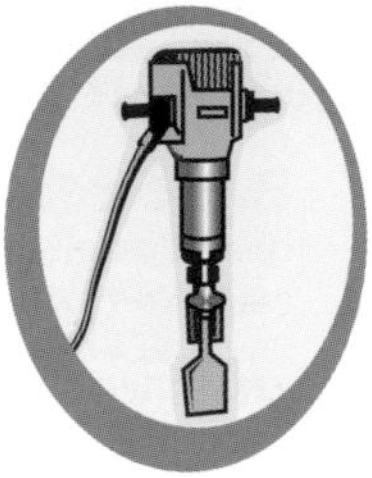

22. Safety clips or retainers shall be securely installed and maintained on pneumatic impact tools to prevent attachments from being accidentally expelled. **§1926.302(b)(2)**

23. The manufacturer's safe operating pressure for all fittings shall not be exceeded. **§1926.302(b)(5)**

24. All hoses exceeding 1/2-inch (1.3-centimeters) inside diameter shall have a safety device at the source of supply or branch line to reduce pressure in case of hose failure. **§1926.302(b)(7)**

25. ## Asbestos

26. Each employer who has a workplace or work operation where exposure monitoring is required must perform monitoring to determine accurately the airborne concentrations of asbestos to which employees may be exposed. **§1926.1101(f)(1)(i)**

27. Employers also must ensure that no employee is exposed to an airborne concentration of asbestos in excess of 0.1 f/cc as an 8-hour time-weighted average (TWA). **§1926.1101(c)(1)**

28. In addition, employers must ensure that no employee is exposed to an airborne concentration of asbestos in excess of 1 f/cc as averaged over a sampling period of 30 minutes. **§1926.1101(c)(2)**

29. Respirators must be used during (1) all Class I asbestos jobs; (2) all Class II work where an asbestos-containing material is not removed substantially intact; (3) all Class II and III work not using wet methods, except on sloped roofs; (4) all Class II and III work without a negative exposure assessment; (5) all Class III jobs where thermal system insulation or surfacing asbestos-containing or presumed asbestos-containing material is cut, abraded, or broken; (6) all Class IV work within a regulated area where respirators are required; (7) all work where employees are exposed above the PEL or STEL; and (8) in emergencies. **§1926.1101(h)(1)(i)-(viii)**

30. The employer must provide and require the use of protective clothing — such as coveralls or similar whole-body clothing, head coverings, gloves, and foot coverings — for

31. • Any employee exposed to airborne asbestos exceeding the PEL or STEL,

32. • Work without a negative exposure assessment, or

33. • Any employee performing Class I work involving the removal of over 25 linear or 10 square feet (3.048 square meters) of thermal system insulation or surfacing asbestos-containing or presumed asbestos-containing materials. **§1926.1101(i)(1)**

34. The employer must provide a medical surveillance program for all employees who — for a combined total of 30 or more days per year — engage in Class I, II, or III work or are exposed at or above the PEL or STEL; or who wear negative-pressure respirators. **§1926.1101(m)(1)(i)**

35. Authorized Person

36. Authorized person means a person approved or assigned by the employer to perform a specific type of duty or duties or to be at a specific location or locations at the jobsite. **§1926.32(d)**

37. Belt Sanding Machines

38. Belt sanding machines shall be provided with guards at each nip point where the sanding belt runs onto a pulley. **§1926.304(f), incorporated by reference from ANSI 01.1-1961, Section 4.9.4**

39. The unused run of the sanding belt shall be guarded against accidental contact. **§1926.304(f), incorporated by reference from ANSI 01.1-1961, Section 4.9.4**

40. Blasting Agents **(See Explosives and Blasting)**

41. Chains **(See Cranes and Derricks; Hoists, Material and Personnel; Rigging)**

42. Chemical Information **(See Hazard Communication)**

43. Competent Person

44. Competent person means one who is capable of identifying existing and predictable hazards in the surroundings or working conditions which are unsanitary, hazardous, or dangerous to employees, and who has authorization to take prompt corrective measures to eliminate them. **§1926.32(f)**

45. Compressed Air, Use of

46. Compressed air used for cleaning purposes shall be reduced to less than 30 pounds per square inch (psi) (207 KPa) and then only with effective chip guarding and personal protective equipment. **§1926.302(b)(4)**

47. This requirement does not apply to concrete form, mill scale, and similar cleaning operations. **§1926.302(b)(4)**

48. Compressed Gas Cylinders

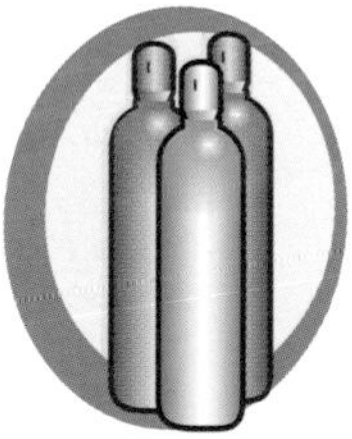

49. Valve protection caps shall be in place and secured when compressed gas cylinders are transported, moved, or stored. **§1926.350(a)(1)**

50. Cylinder valves shall be closed when work is finished and when cylinders are empty or are moved. **§1926.350(a)(8)**

51. Compressed gas cylinders shall be secured in an upright position at all times, except if necessary for short periods of time when cylinders are actually being hoisted or carried. **§1926.350(a)(9)**

52. Cylinders shall be kept far enough away from the actual welding or cutting operations so that sparks, hot slag, or flame will not reach them. When this is impractical, fire-resistant shields shall be provided. Cylinders shall be placed where they cannot become part of an electrical circuit. **§1926.350(b)(1)-(2)**

53. Oxygen and fuel gas pressure regulators shall be in proper working order while in use. **§1926.350(h)**

54. Concrete and Masonry Construction

55. No construction loads shall be placed on a concrete structure or portion of a concrete structure unless the employer determines, based on information received from a person who is qualified in structural design, that the structure or portion of the structure is capable of supporting the loads. **§1926.701(a)**

56. No employee shall be permitted to work under concrete buckets while buckets are being elevated or lowered into position. **§1926.701(e)(1)**

57. To the extent practical, elevated concrete buckets shall be routed so that no employee or the fewest number of employees is exposed to the hazards associated with falling concrete buckets. **§1926.701(e)(2)**

58. Formwork shall be designed, fabricated, erected, supported, braced, and maintained so that it is capable of supporting — without failure — all vertical and lateral loads that may reasonably be anticipated to be applied to the formwork. **§1926.703(a)(1)**

59. Forms and shores (except those used for slabs on grade and slip forms) shall not be removed until the employer determines that the concrete has gained sufficient strength to support its weight and superimposed loads. Such determination shall be based on compliance with one of the following:

60. • The plans and specifications stipulate conditions for removal of forms and shores, and such conditions have been followed, or

61. • The concrete has been properly tested with an appropriate American Society for Testing Materials (ASTM) standard test method designed to indicate the concrete compressive strength, and the test results indicate that the concrete has gained sufficient strength to support its weight and superimposed loads. (ASTM, 100 Barr Harbor Drive, West Conshohocken, PA 19428; (610) 832-9585). **§1926.703(e)(1)(i)-(ii)**

62. A limited access zone shall be established whenever a masonry wall is being constructed. The limited access zone shall conform to the following:

63. • The limited access zone shall be established prior to the start of construction of the wall.

64. • The limited access zone shall be equal to the height of the wall to be constructed plus 4 feet (1.2 meters), and shall run the entire length of the wall.

65. • The limited access zone shall be established on the side of the wall that will be unscaffold.

66. • The limited access zone shall be restricted to entry by employees actively engaged in constructing the wall. No other employees shall be permitted to enter the zone.

67. • The limited access zone shall remain in place until the wall is adequately supported to prevent overturning and to prevent collapse; where the height of a wall is more than 8 feet (2.4 meters), the limited access zone shall remain in place until the requirements of paragraph (b) of this section have been met. **§1926.706(a)(1)-(5)**

68. All masonry walls more than 8 feet (2.4 meters) in height shall be adequately braced to prevent overturning and to prevent collapse unless the wall is adequately supported so that it will not overturn or collapse. The bracing shall remain in place until permanent supporting elements of the structure are in place. **§1926.706(b)**

69. Confined Spaces

70. All employees required to enter into confined or enclosed spaces must be instructed as to the nature of the hazards involved, the necessary precautions to be taken, and in the use of required protective and emergency equipment. The employer shall comply with any specific regulations that apply to work in dangerous or potentially dangerous areas. Confined or enclosed spaces include, but are not limited to, storage tanks, process vessels, bins, boilers, ventilation or exhaust ducts, sewers, underground utility vaults, tunnels, pipe lines, and open top spaces more than 4 feet deep (1.2 meters) such as pits, tubs, vaults, and vessels. **§1926.21(b)(6)(i)-(ii)**

71. Construction Work

72. Construction work means work for construction, alteration, and/or repair, including painting and decorating. **§1926.32(g)**

73. ## Cranes and Derricks (See Also Hoists, Material and Personnel; Rigging)

74. The employer shall comply with the manufacturer's specifications and limitations. **§1926.1417(a)**

75. Rated load capacities, recommended operating speeds, and special hazard warnings or instructions shall be conspicuously posted on all equipment. Instructions or warnings shall be visible from the operator's station. **§1926.1417(c)(1)**

76. Equipment shall be inspected by a competent person before each use and during use, and all deficiencies corrected before further use. **§1926.1412(f)(1)-(2), (7)**

77. Accessible areas within the swing radius of the rear of the rotating superstructure shall be properly barricaded to prevent employees from being struck or crushed by the crane. **§1926.1424(a)(2)(ii)**

78.

Table A — Minimum Clearance Distances

Voltage (nominal, kV, alternating current)	Minimum clearance distance (feet)
up to 50	10
over 50 to 200	15
over 200 to 350	20
over 350 to 500	25
over 500 to 750	35
over 750 to 1,000	45
over 1,000	(as established by the utility owner/operator or registered professional engineer who is a qualified person with respect to electrical power transmission and distribution).

79. An annual inspection of the hoisting machinery shall be made by a qualified person. Records shall be kept of the dates and results of each inspection. **§1926.1412(a)(6)**

80. All crawler, truck, or locomotive cranes in use shall meet the requirements as prescribed in the ANSI B30.5-1968, *Safety Code for Crawler, Locomotive and Truck Cranes*. (212) 642-4900. **§1926.1433(a)**

81. The use of a crane or derrick to hoist employees on a personnel platform is prohibited, except when the erection, use, and dismantling of conventional means of reaching the worksite — such as a personnel hoist, ladder, stairway, aerial lift, elevating work platform or scaffold — would be more hazardous or is not possible because of structural design or worksite conditions. Where a decision is reached that this is the case, then 29 CFR 1926.550(g) shall be reviewed and complied with. **§1926.1431(a)**

STOP –With arm extended horizontally to the side, palm down, arm is swung back and forth.

EMERGENCY STOP – With both arms extended horizontally to the side, palms down, arms are swung back and forth.

HOIST – With upper arm extended to the side, forearm and index finger pointing straight up, hand and finger make small circles.

RAISE BOOM – With arm extended horizontally to the side, thumb points up with other fingers closed.

SWING – With arm extended horizontally, index finger points in direction that boom is to swing.

RETRACT TELESCOPING BOOM – With hands to the front at waist level, thumbs point at each other with other fingers closed.

Appendix A to Subpart CC of Part 1926
Standard Hand Signals

83.

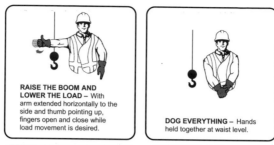

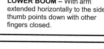

RAISE THE BOOM AND LOWER THE LOAD – With arm extended horizontally to the side and thumb pointing up, fingers open and close while load movement is desired.

DOG EVERYTHING – Hands held together at waist level.

LOWER – With arm and index finger pointing down, hand and finger make small circles.

LOWER BOOM – With arm extended horizontally to the side, thumb points down with other fingers closed.

EXTEND TELESCOPING BOOM – With hands to the front at waist level, thumbs point outward with other fingers closed.

TRAVEL/TOWER TRAVEL
With all fingers pointing up, arm is extended horizontally out and back to make a pushing motion in the direction of travel.

Appendix A to Subpart CC of Part 1926
Standard Hand Signals

84.

LOWER THE BOOM AND RAISE THE LOAD – With arm extended horizontally to the side and thumb pointing down, fingers open and close while load movement is desired.

MOVE SLOWLY – A hand is placed in front of the hand that is giving the action signal.

USE AUXILIARY HOIST *(whipline)* – With arm bent at elbow and forearm vertical, elbow is tapped with other hand. Then regular signal is used to indicate desired action.

CRAWLER CRANE TRAVEL, BOTH TRACKS – Rotate fists around each other in front of body; direction of rotation away from body indicates travel forward; rotation towards body indicates travel backward.

USE MAIN HOIST – A hand taps on top of the head. Then regular signal is given to indicate desired action.

CRAWLER CRANE TRAVEL, ONE TRACK – Indicate track to be locked by raising fist on that side. Rotate other fist in front of body in direction that other track is to travel.

TROLLEY TRAVEL – With palm up, fingers closed and thumb pointing in direction of motion, hand is jerked horizontally in direction trolley is to travel.

Appendix A to Subpart CC of Part 1926 Standard Hand Signals

85. Derricks (See Cranes and Derricks; Rigging)

86. Designated Employee

87. The term means a qualified person delegated to perform specific duties under the conditions existing. **§1926.960(o)**

88. Designated Person

89. Designated person means "authorized person." **§1926.32(i) and (d)**

90. Disposal Chutes

91. Whenever materials are dropped more than 20 feet (6 meters) to any exterior point of a building, an enclosed chute shall be used. **§1926.252(a)**

92. When debris is dropped through holes in the floor without the use of chutes, the area where the material is dropped shall be enclosed with barricades not less than 42 inches high (106.7 centimeters) and not less than 6 feet (1.8 meters) back from the projected edges of the opening above. Warning signs of the hazard of falling material shall be posted at each level. **§1926.252(b)**

93. Drinking Water

94. An adequate supply of potable water shall be provided in all places of employment. **§1926.51(a)(1)**

95. Portable drinking water containers shall be capable of being tightly closed and equipped with a tap. **§1926.51(a)(2)**

96. Using a common drinking cup is prohibited. **§1926.51(a)(4)**

97. Where single service cups (to be used but once) are supplied, both a sanitary container for unused cups and a receptacle for used cups shall be provided. **§1926.51(a)(5)**

98. Electrical Installations

99. Employers must provide either ground-fault circuit interrupters (GFCIs) or an assured equipment grounding conductor program to protect employees from ground-fault hazards at construction sites. The two options are detailed below.

100. (1) All 120-volt, single-phase, 15- and 20-ampere receptacles that are not part of the permanent wiring must be protected by GFCIs. Receptacles on smaller generators are exempt under certain conditions.

101. (2) An assured equipment grounding conductor program covering extension cords, receptacles, and cord- and plug-connected equipment must be implemented. The program must include the following:

102. • A written description of the program.

103. • At least one competent person to implement the program.

104. • Daily visual inspections of extension cords and cord- and plug-connected equipment for defects. Equipment found damaged or defective shall not be used until repaired.

105. • Continuity tests of the equipment grounding conductors or receptacles, extension cords, and cord- and plug-connected equipment. These tests must generally be made every 3 months.

106. • Paragraphs (f)(1) through (f)(11) of this standard contain grounding requirements for systems, circuits, and equipment. **§1926.404(b)(1)(i)-(iii)(E)**

107. Light bulbs for general illumination must be protected from breakage, and metal shell sockets must be grounded. **§1926.405(a)(2)(ii)(E)**

108. Temporary lights must not be suspended by their cords, unless they are so designed. **§1926.405(a)(2)(ii)(F)**

109. Portable lighting used in wet or conductive locations, such as tanks or boilers, must be operated at no more than 12 volts or must be protected by GFCIs. **§1926.405(a)(2)(ii)(G)**

110. Extension cords must be of the three-wire type. Extension cords and flexible cords used with temporary and portable lights must be designed for hard or extra hard usage (for example, types S, ST, and SO). **§1926.405(a)(2)(ii)(J)**

111. Worn or frayed electric cords or cables shall not be used. **§1926.416(e)(1)**

112. Extension cords shall not be fastened with staples, hung from nails, or suspended by wire. **§1926.416(e)(2)**

113. Work spaces, walkways, and similar locations shall be kept clear of cords. **§1926.416(b)(2)**

114. Listed, labeled, or certified equipment shall be installed and used in accordance with instructions included in the listing, labeling, or certification. **§1926.403(b)(2)**

115. Electrical Work Practices

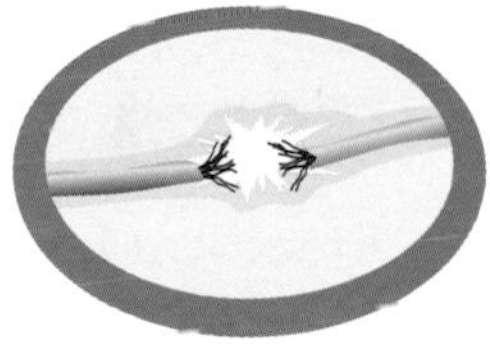

116. Employers must not allow employees to work near live parts of electrical circuits, unless the employees are protected by one of the following means:

117. • Deenergizing and grounding the parts.
118. • Guarding the part by insulation.
119. • Any other effective means. **§1926.416(a)(1)**

120. In work areas where the exact location of underground electrical power lines is unknown, employees using jack hammers, bars, or other hand tools that may contact the lines must be protected by insulating gloves, aprons, or other protective clothing that will provide equivalent electrical protection. **§§1926.416(a)(2) and 1926.95(a)**

121. Barriers or other means of guarding must be used to ensure that workspace for electrical equipment will not be used as a passageway during periods when energized parts of equipment are exposed. **§1926.416(b)(1)**

122. Flexible cords must be connected to devices and fittings so that strain relief is provided which will prevent pull from being directly transmitted to joints or terminal screws. **§1926.405(g)(2)(iv)**

123. Equipment or circuits that are deenergized must be rendered inoperative and must have tags attached at all points where the equipment or circuits could be energized. **§1926.417(b)**

124. Excavating and Trenching

125. The estimated location of utility installations — such as sewer, telephone, fuel, electric, water lines, or any other underground installations that reasonably may be expected to be encountered during excavation work — shall be determined prior to opening an excavation. **§1926.651(b)(1)**

126. Utility companies or owners shall be contacted within established or customary local response times, advised of the proposed work, and asked to establish the location of the utility underground installations prior to the start of actual excavation. When utility companies or owners cannot respond to a request to locate underground utility installations within 24 hours (unless a longer period is required by state or local law), or cannot establish the exact location of these installations, the employer may proceed, provided the employer does so with caution, and provided detection equipment or other acceptable means to locate utility installations are used. **§1926.651(b)(2)**

127. When excavation operations approach the estimated location of underground installations, the exact location of the installations shall be determined by safe and acceptable means. While the excavation is open, underground installations shall be protected, supported, or removed, as necessary, to safeguard employees. **§1926.651(b)(3)-(4)**

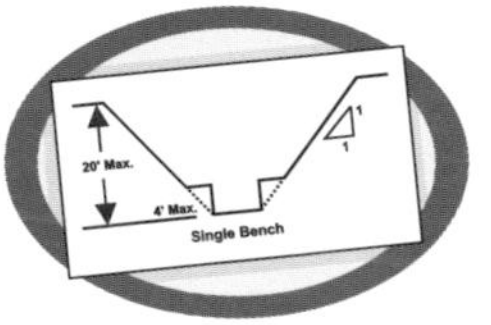

128. Each employee in an excavation shall be protected from cave-ins by an adequate protective system except when:

129. • Excavations are made entirely in stable rock, or excavations are less than 5 feet (1.5 meters) in depth and examination of the ground by a competent person provides no indication of a potential cave-in. **§1926.652(a)(1)(i)-(ii)**

130. Protective systems shall have the capacity to resist, without failure, all loads that are intended or could reasonably be expected to be applied or transmitted to the system. **§1926.652(a)(2)**

131. Employees shall be protected from excavated or other materials or equipment that could pose a hazard by falling or rolling into excavations. Protection shall be provided by placing and keeping such materials or equipment at least 2 feet (0.6 meters) from the edge of excavations, or by the use of retaining devices that are sufficient to prevent materials or equipment from falling or rolling into excavations, or by a combination of both if necessary. **§1926.651(j)(2)**

132. Daily inspections of excavations, the adjacent areas, and protective systems shall be made by a *competent person* for evidence of a situation that could result in possible cave-ins, indications of failure of protective systems, hazardous atmospheres, or other hazardous conditions. An inspection shall be conducted by the competent person prior to the start of work and as needed throughout the shift. Inspections shall also be made after every rainstorm or other hazard increasing occurrence. These inspections are only required when employee exposure can be reasonably anticipated. **§1926.651(k)(1)**

133. Where a *competent person* finds evidence of a situation that could result in a possible cave-in, indications of failure of protective systems, hazardous atmospheres, or other hazardous conditions, exposed employees shall be removed from the hazardous area until the necessary precautions have been taken to ensure their safety. **§1926.651(k)(2)**

134. A stairway, ladder, ramp, or other safe means of egress shall be located in trench excavations that are 4 feet (1.2 meters) or more in depth so as to require no more than 25 feet (7.6 meters) of lateral travel for employees. **§1926.651(c)(2)**

135. Exits

136. Exits must be free of all obstructions so they can be used immediately in case of fire or emergency. **§1926.34(c)**

137. Explosives and Blasting

138. Only authorized and qualified persons shall be permitted to handle and use explosives. **§1926.900(a)**

139. Explosives and related materials shall be stored in approved facilities required under the applicable provisions of the Bureau of Alcohol, Tobacco and Firearms regulations contained in 27 CFR Part 55, Commerce in Explosives. (See Subpart K.) **§1926.904(a)**

140. Smoking and open flames shall not be permitted within 50 feet (15.2 meters) of explosives and detonator storage magazines. **§1926.904(c)**

141. Procedures that permit safe and efficient loading shall be established before loading is started. **§1926.905(a)**

142. **Eye and Face Protection** **(See Also Personal Protective Equipment)**

143. Eye and face protection shall be provided when machines or operations present potential eye or face injury. **§1926.102(a)(1)**
144. Eye and face protective equipment shall meet the requirements of ANSI Z87.1-1968, *Practice for Occupational and Educational Eye and Face Protection.* **§1926.102(a)(2)**
145. Employees involved in welding operations shall be furnished with filter lenses or plates of at least the proper shade number as indicated in Table E-2. **§1926.102(b)(1)**
146.

Table E-2 - Eye and Face Protection Filter Lens Shade Numbers for Protection Against Radiant Energy

Welding operation	Shade number
Shielded metal-arc welding 1/16-, 3/32-, 1/8-, 5/32-inch diameter electrodes	10
Gas-shielded arc welding (nonferrous) 1/16-, 3/32-, 1/8-, 5/32-inch diameter electrodes	11
Gas-shielded arc welding (ferrous) 1/16-, 3/32-, 1/8-, 5/32-inch diameter electrodes	12
Shielded metal-arc welding 3/16-, 7/32-, 1/4-inch diameter electrodes	12
5/16-, 3/8-inch diameter electrodes	14
Atomic hydrogen welding	10-14
Carbon-arc welding	14
Soldering	2
Torch brazing	3 or 4
Light cutting, up to 1 inch	3 or 4
Medium cutting, 1 inch to 6 inches	4 or 5
Heavy cutting, over 6 inches	5 or 6
Gas welding (light), up to 1/8-inch	4 or 5
Gas welding (medium), 1/8-inch to 1/2-inch	5 or 6
Gas welding (heavy), over 1/2-inch	6 or 8

147. Employees exposed to laser beams shall be furnished suitable laser safety goggles that will protect for the specific wave length of the laser and the optical density adequate for the energy involved. **§1926.102(b)(2)**

148. **Fall Protection**

149. Employers are required to assess the workplace to determine if the walking/working surface on which employees are to work has the strength and structural integrity to safely support workers. Employees are not permitted to work on those surfaces until it has been determined that the surfaces have the requisite strength and structural integrity to support the workers. **§1926.501(a)(2)**

150. Where employees are exposed to falling 6 feet (1.8 meters) or more from an unprotected side or edge, the employer must select either a guardrail system, safety net system, or personal fall arrest system to protect the worker. **§1926.501(b)(1)**

151. A personal fall arrest system consists of an anchorage, connectors, body harness and may include a lanyard, a deceleration device, lifeline, or a suitable combination of these. Effective January 1, 1998, body belts used for fall arrests are prohibited. **§§1926.500(b) and 1926.502(d)**

152. Each employee in a hoist area shall be protected from falling 6 feet (1.8 meters) or more by guardrail systems or personal fall arrest systems. If guardrail systems (or chain gate or guardrail) or portions thereof must be removed to facilitate hoisting operations, as during the landing of materials, and a worker must lean through the access opening or out over the edge of the access opening to receive or guide equipment and materials, that employee must be protected by a personal fall arrest system. **§1926.501(b)(3)**

153. Personal fall arrest systems, covers, or guardrail systems must be erected around holes (including skylights) that are more than 6 feet (1.8 meters) above lower levels. **§1926.501(b)(4)**

154. Each employee at the edge of an excavation 6 feet deep (1.8 meters) or more shall be protected from falling by guardrail systems, fences, barricades, or covers. Where walkways are provided to permit employees to cross over excavations, guardrails are required on the walkway if it is 6 feet (1.8 meters) or more above the excavation. **§1926.501(b)(7)**

155. Each employee using ramps, runways, and other walkways shall be protected from falling 6 feet (1.8 meters) or more by guardrail systems. **§1926.501(b)(6)**

156. Each employee performing overhand bricklaying and related work 6 feet (1.8 meters) or more above lower levels shall be protected by guardrail systems, safety net systems, or personal fall arrest systems, or shall work in a controlled access zone. All employees reaching more than 10 inches (25.4 centimeters) below the level of a walking/working surface on which they are working shall be protected by a guardrail system, safety net system, or personal fall arrest. **§1926.501(b)(9)**

157. Each employee engaged in roofing activities on low-slope roofs with unprotected sides and edges 6 feet (1.8 meters) or more above lower levels shall be protected from falling by guardrail, safety net, or personal fall arrest systems or a combination of a

158. • Warning line system and guardrail system,
159. • Warning line system and safety net system,
160. • Warning line system and personal fall arrest system, or
161. • Warning line system and safety monitoring system. **§1926.501(b)(10)**

162. On low-slope roofs 50 feet (15.2 meters) or less in width, the use of a safety monitoring system without a warning line system is permitted. **§1926.501(b)(10)**

163. Each employee on a steep roof with unprotected sides and edges 6 feet (1.8 meters) or more above lower levels shall be protected by guardrail systems with toeboards, safety net systems, or personal fall arrest systems. **§1926.501(b)(11)**

164. Fire Protection

165. A firefighting program is to be followed throughout all phases of the construction and demolition work involved. It shall provide for effective firefighting equipment to be available without delay, and designed to effectively meet all fire hazards as they occur. **§1926.150(a)(1)**

166. Firefighting equipment shall be conspicuously located and readily accessible at all times, shall be periodically inspected, and be maintained in operating condition. **§1926.150(a)(2)-(4)**

167. A fire extinguisher, rated not less than 2A (acceptable substitutes are a 1/2-inch diameter garden-type hose not to exceed 100 feet capable of discharging a minimum of 5 gallons per minute or a 55-gallon drum of water with two fire pails), shall be provided for each 3,000 square feet (270 square meters) of the protected building area, or major fraction thereof. Travel distance from any point of the protected area to the nearest fire extinguisher shall not exceed 100 feet (30.5 meters). **§1926.150(c)(1)(i)-(iii)**

168. The employer shall establish an alarm system at the worksite so that employees and the local fire department can be alerted for an emergency. **§1926.150(e)(1)**

169. Flaggers

170. Flaggers, signaling by flaggers, and the garments worn shall follow the OSHA rules that incorporated by reference the Department of Transportation's *Manual on Uniform Traffic Control Devices*, Part 6. **§1926.201(a)**

171. ## Flammable and Combustible Liquids

172. Only approved containers and portable tanks shall be used for storing and handling flammable liquids. Approved safety cans or Department of Transportation approved containers shall be used for the handling and use of flammable liquids in quantities of 5 gallons or less, except that this shall not apply to those flammable liquid materials which are highly viscid (extremely hard to pour), which may be used and handled in original shipping containers. For quantities of one gallon or less, the original container may be used, for storage, use and handling of flammable liquids. **§1926.152(a)(1)**

173. No more than 25 gallons (94.7 liters) of flammable liquids shall be stored in a room outside of an approved storage cabinet. No more than three storage cabinets may be located in a single storage area. **§1926.152(b)(1)-(3)**

174. Inside storage rooms for flammable liquids shall be of fire-resistant construction, have self-closing fire doors at all openings, 4 inch (10 centimeters) sills or depressed floors, a ventilation system that provides at least six air changes within the room per hour, and electrical wiring and equipment approved for Class 1, Division 1 locations. **§1926.152(b)(4)**

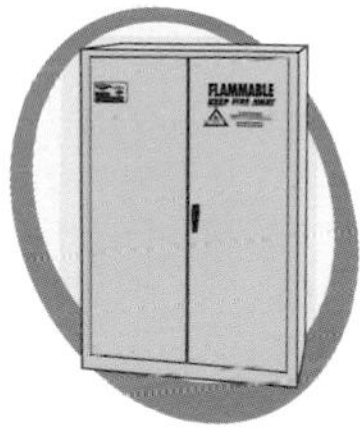

175. Storage in containers outside buildings shall not exceed 1,100 gallons (4,169 liters) in any one pile or area. The storage area shall be graded to divert possible spills away from buildings or other exposures, or shall be surrounded by a curb or dike. **§1926.152(c)(1), (3)-(5)**

176. Category 1, 2, or 3 flammable liquids shall be kept in closed containers when not actually in use. **§1926.152(f)(1)**

177. Conspicuous and legible signs prohibiting smoking shall be posted in service and refueling areas. **§1926.152(g)(9)**

178. ## Foot Protection (See Personal Protective Equipment)

179. ## Forklift Trucks (See Powered Industrial Trucks (Forklifts))

180. ## Gases, Vapors, Fumes, Dusts, and Mists

181. Exposure to toxic gases, vapors, fumes, dusts, and mists at a concentration above those specified in the *Threshold Limit Values of Airborne Contaminants* for 1970 of the American Conference of Governmental Industrial Hygienists (ACGIH), shall be avoided. (ACGIH, 1330 Kemper Meadow Drive, Cincinnati, OH 45240-1634; (513) 742-2020.) **§1926.55(a)**

182. Administrative or engineering controls must be implemented whenever feasible to comply with Threshold Limit Values. **§1926.55(b)**

183. When engineering and administrative controls are not feasible to achieve full compliance, protective equipment or other protective measures shall be used to keep the exposure of employees to air contaminants within the limits prescribed. Any equipment and technical measures used for this purpose must first be approved for each particular use by a competent industrial hygienist or other technically qualified person. Whenever respirators are used, their use shall comply with §1926.103. **§1926.55(b)**

184. General Duty Clause

185. Section 5(a)(1) of the William Steiger Occupational Safety and Health Act of 1970 has become known as "The General Duty Clause." It is a catch all for citations if OSHA identifies unsafe conditions to which a regulation does not exist.

186. Hazardous conditions or practices not covered in an OSHA standard may be covered under Section 5(a)(1) of the *Occupational Safety and Health Act of 1970*, which states: "Each employer shall furnish to each of his employees employment and a place of employment which are free from recognized hazards that are causing or are likely to cause death or serious physical harm to his employees."

187. In practice, OSHA, court precedent, and the review commission have established that if the following elements are present, a "general duty clause" citation may be issued.

188. • The employer failed to keep the workplace free of a hazard to which employees of that employer were exposed.

189. • The hazard was recognized. (Examples might include: through your safety personnel, employees, organization, trade organization or industry customs.)

190. • The hazard was causing or was likely to cause death or serious physical harm.

191. • There was a feasible and useful method to correct the hazard.

192. Grinding

193. All abrasive wheel bench and stand grinders shall be provided with safety guards that cover the spindle ends, nut and flange projections, and are strong enough to withstand the effects of a bursting wheel. **§1926.303(b)(2) and (c)(1)**

194. An adjustable work rest of rigid construction shall be used on floor and bench-mounted grinders, with the work rest kept adjusted to a clearance not to exceed 1/8 inch (0.3 centimeters) between the work rest and the surface of the wheel. **§1926.303(c)(2)**

195. All abrasive wheels shall be closely inspected and ring-tested before mounting to ensure that they are free from cracks or other defects. **§1926.303(c)(7)**

196. Portable abrasive wheel tools shall be provided with safety guards, except when the wheels are 2 inches (5 centimeters) or less in diameter, or the wheel is entirely inside the work. **§1926.303(c)(3) and (4)**

197. ## Hand Tools (See Also Tools — Hand and Power)

198. Employers shall not issue or permit the use of unsafe hand tools, including tools that may be furnished by employees or employers. All hand tools must be properly maintained. **§§1926.300(a) and 1926.301(a)**

199. Wrenches shall not be used when jaws are sprung to the point that slippage occurs. Impact tools shall be kept free of mushroomed heads. The wooden handles of tools shall be kept free of splinters or cracks and shall be kept tight in the tool. **§1926.301(b)-(d)**

200. Electric power operated tools shall either be approved and double-insulated, or be properly grounded in accordance with Subpart K of the standard. **§1926.302(a)(1)**

201. ## Hazard Communication

202. Employers shall develop, implement, and maintain at the workplace a written hazard communication program for their workplaces. Employers must inform their employees of the availability of the program, including the required list(s) of hazardous chemicals, and safety data sheets required. **§1910.1200(e)(1) and (4) made applicable to construction by §1926.59**

203. The employer shall ensure that each container of hazardous chemicals in the workplace is labeled, tagged, or marked with the identity of the hazardous chemical(s) contained therein; and must show hazard warnings appropriate for employee protection. **§1910.1200(e)(2) and (f)(1) made applicable to construction by §1926.59**

204. Chemical manufacturers and importers shall obtain or develop a safety data sheet for each hazardous chemical they produce or import. Employers shall have a safety data sheet for each hazardous chemical they use. **§1910.1200(g)(1) made applicable to construction by §1926.59**

205. Employers shall provide employees with information and training on hazardous chemicals in their work area at the time of their initial assignment, and whenever a new hazard is introduced into their work area. Employers shall also provide employees with information on any operations in their work area where hazardous chemicals are present, and the location and availability of the written hazard communication program, including the required list(s) of hazardous chemicals, and safety data sheets required by the standard. **§1910.1200(h)(1) and (2)(i)-(iii) made applicable to construction by §1926.59**

206. Employers who produce, use, or store hazardous chemicals at multiemployer workplaces shall additionally ensure that their hazard communication program includes the methods the employer will use to provide other employer(s) with a copy of the material safety data sheet for hazardous chemicals other employer(s) employees may be exposed to while working; the methods the employer will use to inform other employer(s) of any precautionary measures for the protection of employees; and the methods the employer will use to inform the other employer(s) of the labeling system used in the workplace. **§1910.1200(e)(2) made applicable to construction by §1926.59**

207. Hazardous Energy (See Lockout and Tagging of Circuits)

208. Hazardous Waste Operations

209. Employers must develop a written safety and health program for employees involved in hazardous waste operations. At a minimum, the program shall include a comprehensive workplan, standard operating procedures, a site-specific safety and health plan (which need not repeat the standard operating procedures), the training program, and the medical surveillance program. **§1926.65(b)(1)**

210. A site control program also shall be developed and shall include, at a minimum, a map, work zones, buddy systems, site communications — including alerting means for emergencies — standard operating procedures or safe work practices, and identification of the nearest medical assistance. **§1926.65(d)(3)**

211. Training must be provided for all site employees, their supervisors, and management who are exposed to health or safety hazards. **§1926.65(e)**

212. Head Protection (See Also Personal Protective Equipment)

213. Head protective equipment (helmets) shall be worn in areas where there is a possible danger of head injuries from impact, flying or falling objects, or electrical shock and burns. **§1926.100(a)**

214. Helmets for protection against impact and penetration of falling and flying objects shall meet the requirements of ANSI Z89.1-1969. **§1926.100(b)**

215. The employer must ensure that the head protection provided for each employee exposed to high-voltage electric shock and burns also meets the specifications contained in Section 9.7 ("Electrical Insulation") of any of the consensus standards identified in paragraph (b)(1) of this section. **§1926.100(b)(2)**

216. Hearing Protection (See Also Personal Protective Equipment)

217. Feasible engineering or administrative controls shall be utilized to protect employees against sound levels in excess of those shown in Table D-2. **§1926.52(b)**

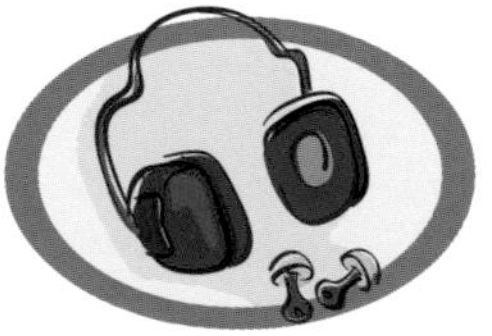

218. When engineering or administrative controls fail to reduce sound levels within the limits of Table D-2, ear protective devices shall be provided and used. **§§1926.52(b) and 1926.101(a)**

219. In all cases where the sound levels exceed the values shown in Table D-2, a continuing, effective hearing conservation program shall be administered. **§1926.52(d)(1)**

220. A hearing conservation program in construction should include the following elements:

221. • Monitoring employee noise exposures,

222. • Using engineering, work practice and administrative controls, and personal protective equipment,

223. • Fitting each overexposed employee with appropriate hearing protectors,

224. • Training employees in the effects of noise and protection measures,

225. • Explaining procedures for preventing further hearing loss, and

226. • Recordkeeping. **§§1926.21(b)(2), 1926.52, and 1926.101**

227.

Table D-2 - Permissible Noise Exposures

Duration per day, hours	Sound Level/dBA slow response
8	90
6	92
4	95
3	97
2	100
1 1/2	102
1	105
1/2	110
1/4 or less	115

§1926.52(d)(1)

228. Exposure to impulsive or impact noise should not exceed 140 dB peak sound pressure level. **§1926.52(e)**

229. Plain cotton is not an acceptable protective device. **§1926.101(c)**

230

Heating Devices, Temporary

231. When heating devices are used, fresh air shall be supplied in sufficient quantities to maintain the health and safety of workers. **§1926.154(a)(1)**

232. Solid fuel salamanders are prohibited in buildings and on scaffolds. **§1926.154(d)**

233. ## Hoists, Material and Personnel (See Also Cranes and Derricks)

234. The employer shall comply with the manufacturer's specifications and limitations. **§1926.552(a)(1)**

235. Rated load capacities, recommended operating speeds, and special hazard warnings or instructions shall be posted on cars and platforms. **§1926.552(a)(2)**

236. Hoistway entrances of material hoists shall be protected by substantial full width gates or bars that are painted with diagonal contrasting colors such as black and yellow stripes. **§1926.552(b)(2)**

237. Hoistway doors or gates of personnel hoist shall be not less than 6 feet 6 inches (1.98 meters) high and shall be protected with mechanical locks that cannot be operated from the landing side and that are accessible only to persons on the car. **§1926.552(c)(4)**

238. Overhead protective coverings shall be provided on the top of the hoist cage or platform. **§1926.552(b)(3) and (c)(7)**

239. All material hoists shall conform to the requirements of ANSI A10.5-1969, *Safety Requirements for Material Hoists*. **§1926.552(b)(8)**

240. ## Hooks (See Rigging)

241. ## Housekeeping

242. Form and scrap lumber with protruding nails and all other debris shall be kept clear from all work areas. **§1926.25(a)**

243. Combustible scrap and debris shall be removed at regular intervals. **§1926.25(b)**

244. Containers shall be provided for collection and separation of all refuse. Covers shall be provided on containers used for flammable or harmful substances. **§1926.25(c)**

245. Wastes shall be disposed of at frequent intervals. **§1926.25(c)**

246. ## Illumination

247. Construction areas, ramps, runways, corridors, offices, shops, and storage areas shall be lighted to not less than the minimum illumination intensities listed in Table D-3 while any work is in progress.

248.
Table D-3 - Minimum Illumination Intensities in Footcandles

Foot-candles	Area of Operation
5	General construction area lighting
3	General construction areas, concrete placement, excavation, waste areas, accessways, active storage areas, loading platforms, refueling, and field maintenance areas
5	Indoor warehouses, corridors, hallways, and exitways
5	Tunnels, shafts, and general underground work areas (Exception: minimum of 10 footcandles is required at tunnel and shaft heading during drilling, mucking, and scaling. Bureau of Mines approved cap lights shall be acceptable for use in the tunnel heading)
10	General construction plant and shops (e.g., batch plants, screening plants, mechanical and electrical equipment rooms, carpenters shops, rigging lofts and active store rooms, barracks or living quarters, locker or dressing rooms, mess halls, and indoor toilets and workrooms)
30	First-aid stations, infirmaries, and offices

§1926.56(a)

249. ## Jointers

250. A jointer guard shall automatically adjust itself to cover the unused portion of the head and the section of the head on the working side and the back side of the fence or cage. The jointer guard shall remain in contact with the material at all times. **§1926.304(f), incorporated by reference from ANSI 01.1-1961, Section 4.3.2**

251. ## Ladders

252. Portable and fixed ladders with structural defects — such as broken or missing rungs, cleats, or steps; broken or split rails; or corroded components — shall be withdrawn from service by immediately tagging "DO NOT USE" or marking in a manner that identifies them as defective, or shall be blocked, such as with a plywood attachment that spans several rungs. Repairs must restore ladder to its original design criteria. **§1926.1053(b)(16), (17)(i)-(iii), and (18)**

253. Portable non-self-supporting ladders shall be placed on a substantial base, have clear access at top and bottom, and be placed at an angle so the horizontal distance from the top support to the foot of the ladder is approximately one-quarter the working length of the ladder. Portable ladders used for access to an upper landing surface must extend a minimum of 3 feet (0.9 meters) above the landing surface, or where not practical, be provided with grab rails and be secured against movement while in use. **§1926.1053(b)(1) and (5)(i)**

254. Ladders must have nonconductive siderails if they are used where the worker or the ladder could contact energized electrical conductors or equipment. **§1926.1053(b)(12)**

255. Job-made ladders shall be constructed for their intended use. Cleats shall be uniformly spaced not less than 10 inches (25.4 centimeters) apart, nor more than 14 inches (35.5 centimeters) apart. **§1926.1053(a)(3)(i)**

256. A ladder (or stairway) must be provided at all work points of access where there is a break in elevation of 19 inches (48.2 centimeters) or more except if a suitable ramp, runway, embankment, or personnel hoist is provided to give safe access to all elevations. **§1926.1051(a)**

257. Wood job-made ladders with spliced side rails must be used at an angle where the horizontal distance is one-eighth the working length of the ladder.

258. • Fixed ladders must be used at a pitch no greater than 90 degrees from the horizontal, measured from the back side of the ladder.

259. • Ladders must be used only on stable and level surfaces unless secured to prevent accidental movement.

260. • Ladders must not be used on slippery surfaces unless secured or provided with slip-resistant feet to prevent accidental movement. Slip-resistant feet must not be used as a substitute for the care in placing, lashing, or holding a ladder upon a slippery surface. **§1926.1053(b)(5)(ii)-(7)**

261. Employers must provide a training program for each employee using ladders and stairways. The program must enable each employee to recognize hazards related to ladders and stairways and to use proper procedures to minimize these hazards. For example, employers must ensure that each employee is trained by a competent person in the following areas, as applicable:

262. • The nature of fall hazards in the work area;

263. • The correct procedures for erecting, maintaining, and disassembling the fall protection systems to be used;

264. • The proper construction, use, placement, and care in handling of all stairways and ladders; and

265. • The maximum intended load-carrying capacities of ladders used.

266. In addition, retraining must be provided for each employee, as necessary, so that the employee maintains the understanding and knowledge acquired through compliance with the standard. **§1926.1060(a) and (b)**

267. Lasers

268. Only qualified and trained employees shall be assigned to install, adjust, and operate laser equipment. **§1926.54(a)**

269. Employees shall wear proper (antilaser) eye protection when working in areas where there is a potential exposure to direct or reflected laser light greater than 0.005 watts (5 milliwatts). **§1926.54(c)**

270. Beam shutters or caps shall be utilized, or the laser turned off, when laser transmission is not actually required. When the laser is left unattended for a substantial period of time — such as during lunch hour, overnight, or at change of shifts — the laser shall be turned off. **§1926.54(e)**

271. Employees shall not be exposed to light intensities in excess of the following: direct staring — 1 microwatt per square centimeter; incidental observing — 1 milliwatt per square centimeter; diffused reflected light — 2-1/2 watts per square centimeter. **§1926.54(j)(1)-(3)**

272. Employees shall not be exposed to microwave power densities in excess of 10 milliwatts per square centimeter. **§1926.54(l)**

273. Lead

274. Each employer who has a workplace or operation covered by this standard shall initially determine if any employee may be exposed to lead at or above the action level of 30 micrograms per cubic meter (30 $\mu g/m^3$) of air calculated as an 8-hour time-weighted average. **§1926.62(d)(1)**

275. The employer shall assure that no employee is exposed to lead at concentrations greater than 50 micrograms per cubic meter (50 $\mu g/m^3$) of air averaged over an 8-hour period (the permissible exposure limit (PEL)). **§1926.62(c)(1)**

276. Whenever there has been a change of equipment, process, control, personnel, or a new task has been initiated that may result in exposure above the PEL, the employer shall conduct additional monitoring. **§1926.62(d)(7)**

277. Training shall be provided in accordance with the Hazard Communication Standard and additional training shall be provided for employees exposed at or above the action level. **§1926.62(l)(1)**

278. Prior to the start of the job, each employer shall establish and implement a written compliance program. **§1926.62(e)(2)**

279. Where airborne concentrations of lead equal or exceed the action level at any time, an initial medical examination consisting of blood sampling and analysis shall be made available for each employee prior to initial assignment to the area. **§1926.62 Appendix B, VIII, paragraph (j)**

280. Lift Slab

281. Lift-slab operations shall be designed and planned by a registered professional engineer who has experience in lift-slab construction. Such plans and designs shall be implemented by the employer and shall include detailed instructions and sketches indicating the prescribed method of erection. **§1926.705(a)**

282. Jacking equipment shall be capable of supporting at least two and one-half times the load being lifted during jacking operations. Also, do not overload the jacking equipment. **§1926.705(d)**

283. During erection, no employee, except those essential to the jacking operation, shall be permitted in the building or structure while jacking operations are taking place unless the building or structure has been reinforced sufficiently to ensure its integrity. **§1926.705(k)(1)**

284. Equipment shall be designed and installed to prevent slippage; otherwise, the employer shall institute other measures, such as locking or blocking devices, which will provide positive connection between the lifting rods and attachments and will prevent components from disengaging during lifting operations. **§1926.705(p)**

285. Liquefied Petroleum Gas

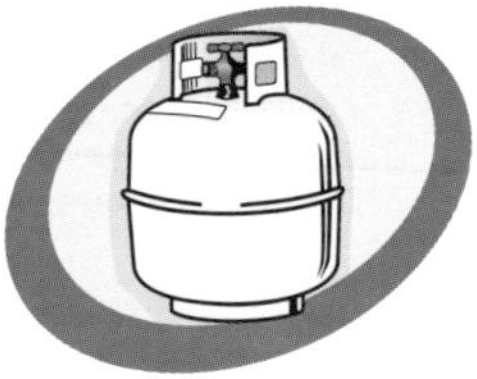

286. Each system shall have containers, valves, connectors, manifold valve assemblies, and regulators of an approved type. **§1926.153(a)(1)**

287. Every container and vaporizer shall be provided with one or more approved safety relief valves or devices. **§1926.153(d)(1)**

288. Containers shall be placed upright on firm foundations or otherwise firmly secured. **§1926.153(g) and (h)(11)**

289. Portable heaters shall be equipped with an approved automatic device to shut off the flow of gas in the event of flame failure. **§1926.153(h)(8)**

290. All cylinders shall be equipped with an excess flow valve to minimize the flow of gas in the event the fuel line becomes ruptured. **§1926.153(i)(2)**

291. Storage of liquefied petroleum gas within buildings is prohibited. **§1926.153(j)**

292. Storage locations shall have at least one approved portable fire extinguisher rated not less than 20-B:C. **§1926.153(l)**

293. Lockout and Tagging of Circuits

294. Controls that are to be deactivated during the course of work on energized or deenergized equipment or circuits shall be tagged. **§1926.417(a)**

295. Equipment or circuits that are deenergized shall be rendered inoperative and shall have tags attached at all points where such equipment or circuits can be energized. **§1926.417(b)**

296. Tags shall be placed to identify plainly the equipment or circuits being worked on. **§1926.417(c)**

297. Material Hoisting Equipment **(See Cranes and Derricks; Hoists, Material and Personnel; Rigging)**

298. Medical Services and First-Aid

299. The employer shall ensure the availability of medical personnel for advice and consultation on matters of occupational health. **§1926.50(a)**

300. When a medical facility is not reasonably accessible for the treatment of injured employees, a person qualified to render first-aid shall be available at the worksite. **§1926.50(c)**

301. First-aid supplies when required should be readily available. **§1926.50(d)(1)**

302. In areas where 911 is not available, the telephone numbers of the physicians, hospitals, or ambulances shall be conspicuously posted. **§1926.50(f)**

303. Motor Vehicles and Mechanized Equipment

304. All vehicles in use shall be checked at the beginning of each shift to ensure that all parts, equipment, and accessories that affect safe operation are in proper operating condition and free from defects. All defects shall be corrected before the vehicle is placed in service. **§1926.601(b)(14)**

305. No employer shall use any motor vehicle, earthmoving, or compacting equipment having an obstructed view to the rear unless:

306. • The vehicle has a reverse signal alarm distinguishable from the surrounding noise level, or

307. • The vehicle is backed up only when an observer signals that it is safe to do so. **§§1926.601(b)(4)(i)-(ii) and 1926.602(a)(9)(i)-(ii)**

308. Heavy machinery, equipment, or parts thereof that are suspended or held aloft shall be substantially blocked to prevent falling or shifting before employees are permitted to work under or between them. **§1926.600(a)(3)(i)**

309. Multi-Employer Citation Policy

310. Employers must not create conditions that violate OSHA standards or make a workplace unsafe. On multi-employer worksites (in all industry sectors), more than one employer may be citable for a hazardous condition that violates an OSHA standard.

311. OSHA classifies employers into one or more of four categories — the creating, exposing, correcting, and controlling employers — to determine if a citation will be issued.

312. **The Creating Employer:** an employer who causes a hazardous condition that violates an OSHA standard. An employer who creates the hazard is citable even if the only employees exposed in the workplace are those who work for other employers.

313. **The Exposing Employer:** an employer whose own employees are exposed to the hazard.

314. If the exposing employer created the violation, he/she is citable for the violation as a creating employer.

315. If the violation was created by another employer, the exposing employer is citable if he/she:
316. (1) knew of the hazardous condition or failed to exercise reasonable diligence to discover the condition, and
317. (2) failed to take steps to protect his/her employees.

318. If the exposing employer has the authority to correct the hazard, he/she must do so.

319. If he/she lacks the authority to correct the hazard, he/she is citable if he/she fails to do each of the following:
320. (1) ask the creating and/or controlling employer to correct the hazard
321. (2) inform his/her employees of the hazard, and
322. (3) take reasonable alternative protective measures.

323. Note: In some circumstances, the employer is citable for failing to remove his/her employees from the job to avoid the hazard.

324. **The Correcting Employer**: an employer who is responsible for correcting a hazard on the exposing employer's worksite, usually occurring while the correcting employer is installing and/or maintaining safety/health equipment. The correcting employer must exercise reasonable care in preventing and discovering violations and meet his/her obligation of correcting the hazard.

325. **The Controlling Employer**: an employer who has general supervisory authority over the worksite, including the power to correct safety and health violations or requiring others to correct them. A controlling employer must exercise reasonable care to prevent and detect violations on the site.

326. Noise (See Hearing Protection)

327. ## Outside Conductors and Lamps

328. Open conductors shall conform to the following minimum clearances:

329. (1) 10 feet (3.05 m) — above finished grade, sidewalks, or from any platform or projection from which they might be reached.

330. (2) 12 feet (3.66 m) — over areas subject to vehicular traffic other than truck traffic.

331. (3) 15 feet (4.57 m) — over areas other than those specified in (4) that are subject to truck traffic.

332. (4) 18 feet (5.49 m) — over public streets, alleys, roads, and driveways. **§1926.404(c)(1)(ii)**

333. Conductors above roof space accessible to employees on foot shall have a clearance from the highest point of the roof surface of not less than 8 feet (2.4 meters) vertical clearance for insulated conductors, not less than 10 feet (3 meters) vertical or diagonal clearance for covered conductors, and not less than 15 feet (4.6 meters) for bare conductors, except that:

334. • Where the roof space is also accessible to vehicular traffic, the vertical clearance shall not be less than 18 feet (5.49 m), or

335. • Where the roof space is not normally accessible to employees on foot, fully insulated conductors shall have a vertical or diagonal clearance of not less than 3 feet (914 mm), or

336. • Where the voltage between conductors is 300 volts or less and the roof has a slope of not less than 4 inches (102 mm) in 12 inches (305 mm), the clearance from roofs shall be at least 3 feet (914 mm), or

337. • Where the voltage between conductors is 300 volts or less and the conductors do not pass over more than 4 feet (1.22 m) of the overhang portion of the roof and they are terminated at a through-the-roof raceway or support, the clearance from roofs shall be at least 18 inches (457 mm). **§1926.404(c)(1)(iv)**

338. ## Permit-Required Confined Spaces (See Confined Spaces)

339. ## Personal Protective Equipment (See Also Eye and Face Protection; Head Protection; Hearing Protection; Respiratory Protection)

340. The employer is responsible for requiring the wearing of appropriate personal protective equipment in all operations where there is an exposure to hazardous conditions or where the need is indicated for using such equipment to reduce the hazard to the employees. **§§1926.28(a) and 1926.95(a)-(c)**

341. Employees working over or near water, where the danger of drowning exists, shall be provided with U.S. Coast Guard-approved life jackets or buoyant work vests. **§1926.106(a)**

342. Powder-Actuated Tools/Nail Guns

343. Only trained employees shall be allowed to operate powder-actuated tools. **§1926.302(e)(1)**

344. All powder-actuated tools shall be tested daily before use and all defects discovered before or during use shall be corrected. **§1926.302(e)(2)-(3)**

345. Tools shall not be loaded until immediately before use. Loaded tools shall not be left unattended. **§1926.302(e)(5)-(e)(6)**

346. Power Transmission and Distribution

347. Existing conditions shall be determined before starting work, by an inspection or a test. Such conditions shall include, but not be limited to, energized lines and equipment, condition of poles, and the location of circuits and equipment including power and communications, cable television, and fire-alarm circuits. **§1926.950(b)(1)**

348. Electric equipment and lines shall be considered energized until determined otherwise by testing or until grounding. **§§1926.950(b)(2) and 1926.954(a)**

349. Operating voltage of equipment and lines shall be determined before working on or near energized parts. **§1926.950(b)(3)**

350. Rubber protective equipment shall comply with the provisions of the ANSI J6 series, and shall be visually inspected before use. **§1926.951(a)(1)(i)-(ii)**

351. Protective equipment of material other than rubber shall provide equal or better electrical and mechanical protection. **§1926.951(a)(1)(iv)**

352. Power Transmission, Mechanical

353. Belts, gears, shafts, pulleys, sprockets, spindles, drums, flywheels, chains, or other reciprocating, rotating, or moving parts of equipment shall be guarded if such parts are exposed to contact by employees or otherwise constitute a hazard. **§1926.300(b)(2)**

354. Guarding shall meet the requirement of ANSI B15.1-1953 (R 1958), *Safety Code for Mechanical Power Transmission Apparatus*. **§1926.300(b)(2)**

355. Powered Industrial Trucks (Forklifts)

356. Each powered industrial truck operator must be competent to operate a powered industrial truck safely, as demonstrated by the successful completion of the training and evaluation. **§1910.178(l)(1)(i), (l)(2)(iii), and (l)(6) made applicable to construction by §1926.602(d)**

357. Training shall consist of a combination of formal instruction (e.g., lecture, discussion, interactive computer learning, video tape, written material), practical training (demonstrations performed by the trainer and practical exercises performed by the trainee), and evaluation of the operator's performance in the workplace. **§1910.178(l)(2)(ii) made applicable to construction by §1926.602(d)**

358. ## Process Safety Management of Highly Hazardous Chemicals

359. Employers shall develop a written plan of action regarding employee participation and consult with employees and their representatives on the conduct and development of process hazards analyses and on the development of the other elements of process safety management. **§1926.64(c)(1)-(2)**

360. The employer, when selecting a contractor, shall obtain and evaluate information regarding the contract employer's safety performance and programs. **§1926.64(h)(2)(i)**

361. The contract employer shall assure that each contract employee is trained in the work practices necessary to safely perform his/her job. **§1926.64(h)(3)(i)**

362. The employer shall perform a pre-startup safety review for new facilities and for modified facilities when the modification is significant enough to require a change in the process safety information. **§1926.64(i)(1)**

363. The employer shall establish and implement written procedures to maintain the ongoing integrity of process equipment. **§1926.64(j)(2)**

364. ## Program Safety and Health Requirements

365. The employer shall initiate and maintain such programs as may be necessary to provide for frequent and regular inspections of the job site, materials, and equipment by designated competent persons. **§1926.20(b)(1)-(2)**

366. The employer should avail himself of the safety and health training programs the Secretary provides. **§1926.21(b)(1)**

367. The employer shall instruct each employee in the recognition and avoidance of unsafe conditions and in the regulations applicable to his work environment to control or eliminate any hazards or other exposure to illness or injury. **§1926.21(b)(2)**

368. The use of any machinery, tool, material, or equipment that is not in compliance with any applicable requirement of Part 1926 is prohibited. **§1926.20(b)(3)**

369. The employer shall permit only those employees qualified by training or experience to operate equipment and machinery. **§1926.20(b)(4)**

370. Qualified Person

371. Qualified person is one who, by possession of a recognized degree, certificate, or professional standing, or who by extensive knowledge, training, and experience, has successfully demonstrated his/her ability to solve or resolve problems relating to the subject matter, the work, or the project. **§1926.32(m)**

372. Radiation, Ionizing

373. Pertinent provisions of the Nuclear Regulatory Commission (NRC) (10 CFR Part 20) relating to protection against occupational radiation exposure shall apply. **§1926.53(a)**

374. Any activity that involves the use of radioactive materials or X-rays, whether or not under license from the Nuclear Regulatory Commission, shall be performed by competent persons specially trained in the proper and safe operation of such equipment. **§1926.53(b)**

375. Railings (See Also Stairs)

376. Top edge height of top rails or equivalent guardrail system members shall have a vertical height of approximately 42 inches (106.6 centimeters), plus or minus 3 inches (7.6 centimeters) above the walking/working level. **§1926.502(b)(1)**

377. Guardrail systems shall be surfaced so as to prevent injury to an employee, with a strength to withstand at least 200 pounds (90 kilograms), the minimum requirement applied in any outward or downward direction, at any point along the top edge. **§1926.502(b)(3) and (6)**

378. A stair railing shall be of construction similar to a standard railing with a vertical height of 36 inches (91.5 centimeters) from the upper surface of top rail to the surface of tread in line with the face of the riser at the forward edge of the tread. **§1926.1052(c)(3)(i)**

379. Recordkeeping: Recording and Reporting Requirements

380. Each employer is required to record and report work-related fatalities, illnesses, and injuries in each of his/her establishments. He/she must use an OSHA 300 Log and OSHA Form 301 Injury and Illness Report or equivalent form of all recordable injuries and illnesses for that establishment. The employer must enter each recordable event no later than seven calendar days after receiving the information. **§§1904.7 and 1904.29(b)(3)**

381. In the case of a work-related accident that is fatal to one or more employees or that results in the inpatient hospitalization of three or more employees, the employer must report orally to the nearest OSHA area office within 8 hours. He/she also may use the OSHA central telephone number: 1-800-321-OSHA. **§1904.39(a).** NOTE: The employer must always report incidents that result in fatalities or the inpatient hospitalization of three or more employees even if he/she does not have to maintain a 300 Log.

382. The employer must keep a separate 300 Log for each establishment that is expected to be in operation for 1 year or longer. He/she may keep records on a computer as long as it can produce equivalent forms. The employer also may keep the records for an establishment at the headquarters or other central location as long as he/she can meet the time requirements of being able to log each recordable event within 7 calendar days and be able to provide copies of records to authorized government employees within 4 business hours as well as be able to provide copies to employees, former employees, or their representatives by the end of the next business day. **§§1904.29(b)(3) and (5), 1904.30, 1904.35(b)(2)(v)(A), and 1904.40(a)**

383. ## The 8 Steps to Recordkeeping

384. Step 1: Is your establishment required to maintain records? Generally, if you are in the construction industry, you are required to maintain a 300 Log if you employed more than 10 employees simultaneously on all jobs at any time during the last year. **§§1904.1, 1904.2, and 1904.3**

385. Step 2: Was it an employee of your company who was involved? Generally, if the person injured reports directly to you then he/she is your employee. **§1904.31**

386. Step 3: Was it work-related? If the incident happened while on the clock or while performing duties for work purposes it is usually work-related. **§1904.5**

387. Step 4: Is it a new case? It usually is if the employee has not previously experienced a recorded injury or illness of that same type that affects that same part of the body. **§1904.6**

388. Step 5: Does it involve death, days away from work, restricted work or motion, medical treatment beyond first-aid, loss of consciousness or a significant medical diagnosis, etc.? **§1904.7**

389. If you answered "no" to any of the first 5 steps, do not write the incident on your 300 Log. Otherwise, go on to Step 6:

390. Step 6. Define the case for the 300 Log. Fill out Form 301 or an equivalent form for each case and then enter it on the 300 Log. You must do this within 7 calendar days. **§1904.29(b)(3)**

391. Step 7: Evaluate the extent and outcome. You must keep track of all the calendar days that the employee was off of work or had work restriction due to the incident or estimate the calendar days the employee will be restricted if an extended period of recovery is expected. **§1904.7**

392. Step 8: Complete, display and retain the records. You must keep the 300 Log and all 301 Incident Report forms for five years following the end of the calendar year that those records covered. You also must update the 300 Log if an employee's recorded injury or illness worsens during those five years. Each employer must provide an annual summary of injuries and illnesses for each establishment on an OSHA Form 300A. The establishment's form is to be posted from February 1 following the year covered by the records and kept in place until April 30 of that year. The 300A Form must be posted in a conspicuous place where notices to employees are customarily posted. **§§1904.32 and 1904.33**

393. ## Reinforced Steel

394. All protruding reinforced steel onto and into which employees could fall shall be guarded to eliminate the hazard of impalement. **§1926.701(b)**

395. ## Respiratory Protection **(See Also Personal Protective Equipment)**

396. In emergencies, or when feasible engineering or administrative controls are not effective in controlling toxic substances, appropriate respiratory protective equipment shall be provided by the employer and shall be used. **§1910.134(a)(1) and (d)(3)(i) made applicable to construction by §1926.103**

397. Respiratory protective devices shall be approved by the National Institute for Occupational Safety and Health or acceptable to the U.S. Department of Labor for the specific contaminant to which the employee is exposed. **§1910.134(d)(1)(ii) made applicable to construction by §1926.103**

398. Respiratory protective devices shall be appropriate for the hazardous material involved and the extent and nature of the work requirements and conditions. **§1910.134(d)(1)(i) made applicable to construction by §1926.103**

399. Employees required to use respiratory protective devices shall be thoroughly trained in their use. **§1910.134(k) made applicable to construction by §1926.103**

400. Respiratory protective equipment shall be inspected regularly and maintained in good condition. **§1910.134(h)(3) made applicable to construction by §1926.103**

401. ## Rigging **(See Also Cranes and Derricks; Hoists, Material and Personnel)**

402. Wire ropes, chains, ropes, and other rigging equipment shall be inspected prior to use and as necessary during use to ensure their safety. Defective gear shall be removed from service. **§1926.251(a)(1)**

403. Job or shop hooks and links or makeshift fasteners formed from bolts, rods, or other such attachments shall not be used. **§1926.251(b)(3)**

404. When U-bolts are used for eye splices, the U-bolt shall be applied so that the "U" section is in contact with the dead end of the rope. **§1926.251(c)(5)(i)**

405. When U-bolt wire rope clips are used to form eyes, the following table shall be used to determine the number and spacing of clips. **§1926.251(c)(5)**

406.

Number and Spacing of U-Bolt Wire Rope Clips

Improved plow steel, rope diameter (inches)	Number of clips		Minimum spacing (inches)
	Drop forged	Other material	
1/2 (1.27 cm)	3	4	3 (7.62 cm)
5/8 (1.58 cm)	3	4	3 3/4 (8.37 cm)
3/4 (1.9 cm)	4	5	4 1/2 (11.43 cm)
7/8 (2.22 cm)	4	5	5 1/4 (12.95 cm)
1 (2.54 cm)	5	6	6 (15.24 cm)
1 1/8 (2.665 cm)	6	6	6 3/4 (15.99 cm)
1 1/4 (2.79 cm)	6	7	7 1/2 (19.05 cm)
1 3/8 (2.915 cm)	7	7	8 1/4 (20.57cm)
1 1/2 (3.81 cm)	7	8	9 (22.86 cm)

§1926.251(c)(5)

407. Rollover Protective Structures (ROPS)

408. Rollover protective structures (ROPS) apply to the following types of materials handling equipment: all rubber-tired, self-propelled scrapers, rubber-tired frontend loaders, rubber-tired dozers, wheel-type agricultural and industrial tractors, crawler tractors, crawler-type loaders, and motor graders, with or without attachments, that are used in construction work. This requirement does not apply to sideboom pipelaying tractors. **§1926.1000(a)(1)**

409. Ropes (See Rigging)

410. Safety Nets

411. Safety nets must be installed as close as practicable under the walking/working surface on which employees are working, but in no case more than 30 feet (9.1 meters) below such level. When nets are used on bridges, the potential fall area from the walking/working surface to the net shall be unobstructed. **§1926.502(c)(1)**

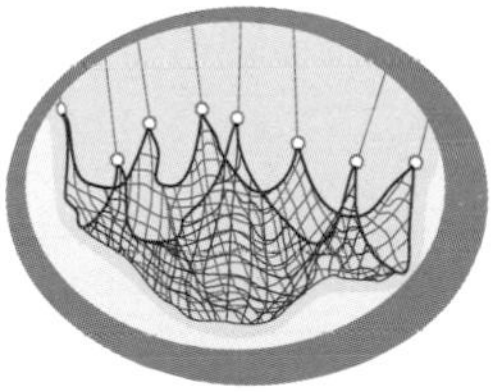

412. Safety nets and their installations must be capable of absorbing an impact force equal to that produced by the drop test. **§1926.502(c)(4)**

413. Safety Training and Education

414. The employer shall instruct each employee in the recognition and avoidance of unsafe conditions and the regulations applicable to his work environment to control or eliminate any hazards or other exposure to illness or injury. **§1926.21(b)(2)**

415. Saws **(See Also Woodworking Machinery)**

416. Band Saws

417. All portions of band saw blades shall be enclosed or guarded, except for the working portion of the blade between the bottom of the guide rolls and the table. **§1926.304(f), incorporated by reference from ANSI 01.1-1961, *Safety Code for Woodworking Machinery***

418. Band saw wheels shall be fully encased. **§1926.304(f), incorporated by reference from ANSI 01.1-1961, *Safety Code for Woodworking Machinery***

419. Portable Circular Saws

420. Portable, power-driven circular saws shall be equipped with guards above and below the base plate or shoe. The lower guard shall cover the saw to the depth of the teeth, except for the minimum arc required to allow proper retraction and contact with the work, and shall automatically return to the covering position when the blade is removed from the work. **§1926.304(d)**

421. Circular saws shall have a constant pressure switch that will shut off the power when the pressure is released. **§1926.300(d)(3)**

422. Radial Saws

423. Radial saws shall have an upper guard that completely encloses the upper half of the saw blade. The sides of the lower exposed portion of the blade shall be guarded by a device that will automatically adjust to the thickness of and remain in contact with the material being cut. **§1926.304(g)(1)**

424. Radial saws used for ripping shall have nonkickback fingers or dogs. **§1926.304(f), incorporated by reference from ANSI 01.1-1961, *Safety Code for Woodworking Machinery***

425. Radial saws shall be installed so that the cutting head will return to the starting position when released by the operator. **§1926.304(f), incorporated by reference from ANSI 01.1-1961, *Safety Code for Woodworking Machinery***

426. Swing or Sliding Cut-Off Saws

427. All swing or sliding cut-off saws shall be provided with a hood that will completely enclose the upper half of the saw. **§1926.304(f), incorporated by reference from ANSI 01.1-1961, *Safety Code for Woodworking Machinery***

428. Limit stops shall be provided to prevent swing or sliding type cut-off saws from extending beyond the front or back edges of the table. **§1926.304(f), incorporated by reference from ANSI 01.1-1961, *Safety Code for Woodworking Machinery***

429. Each swing or sliding cut-off saw shall be provided with an effective device to return the saw automatically to the back of the table when released at any point of its travel. **§1926.304(f), incorporated by reference from ANSI 01.1-1961, *Safety Code for Woodworking Machinery***

430. Inverted sawing of sliding cut-off saws shall be provided with a hood that will cover the part of the saw that protrudes above the top of the table or material being cut. **§1926.304(f), incorporated by reference from ANSI 01.1-1961, *Safety Code for Woodworking Machinery***

431. Table Saws

432. Circular table saws shall have a hood over the portion of the saw above the table, so mounted that the hood will automatically adjust itself to the thickness of and remain in contact with the material being cut. **§1926.304(h)(1)**

433. Circular table saws shall have a spreader aligned with the blade, spaced no more than 1/2 inch (1.27 centimeters) behind the largest blade mounted in the saw. This provision does not apply when grooving, dadoing, or rabbiting. **§1926.304(f), incorporated by reference from ANSI 01.1-1961, *Safety Code for Woodworking Machinery***

434. Circular table saws used for ripping shall have nonkickback fingers or dogs. **§1926.304(f), incorporated by reference from ANSI 01.1-1961, *Safety Code for Woodworking Machinery***

435. Feeder attachments shall have the feed rolls or other moving parts covered or guarded so as to protect the operator from hazardous points. **§1926.304(c)**

436. Scaffolds

437. General Requirements

438. Scaffolds are any temporary elevated platform (supported or suspended) and its supporting structure (including points of anchorage) used for supporting employees or materials or both. **§1926.450(b)**

439. Each employee who performs work on a scaffold shall be trained by a person qualified to recognize the hazards associated with the type of scaffold used and to understand the procedures to control or minimize those hazards. The training shall include such topics as the nature of any electrical hazards, fall hazards, falling object hazards, the maintenance and disassembly of the fall protection systems, the use of the scaffold, handling of materials, the capacity and the maximum intended load. **§1926.454(a)**

440. Fall protection (guardrail systems and personal fall arrest systems) must be provided for each employee on a scaffold more than 10 feet (3.1 meters) above a lower level. **§1926.451(g)(1)**

441. Each scaffold and scaffold component shall support, without failure, its own weight and at least 4 times the maximum intended load applied or transmitted to it. Suspension ropes and connecting hardware must support 6 times the intended load. Scaffolds and scaffold components shall not be loaded in excess of their maximum intended loads or rated capacities, whichever is less. **§1926.451(a)(1), (a)(4), and (f)(1)**

442. The scaffold platform shall be planked or decked as fully as possible. **§1926.451(b)(1)**

443. The platform shall not deflect more than 1/60 of the span when loaded. **§1926.451(f)(16)**

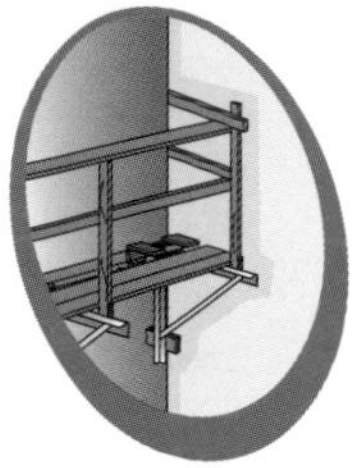

444. The work area for each scaffold platform and the walkway shall be at least 18 inches (46 centimeters) wide. When the work area must be less than 18 inches (46 centimeters) wide, guardrails and/or personal fall arrest systems shall still be used. **§1926.451(b)(2)**

445. Access must be provided when the scaffold platforms are more than 2 feet (0.6 meters) above or below a point of access. Direct access is acceptable when the scaffold is not more than 14 inches (36 centimeters) horizontally and not more than 24 inches (61 centimeters) vertically from the other surfaces. Crossbraces shall not be used as a means of access. **§1926.451(e)(1) and (8)**

446. A competent person shall inspect the scaffold, scaffold components, and ropes on suspended scaffolds before each work shift and after any occurrence which could affect the structural integrity and authorize prompt corrective action. **§§1926.450(b) and 1926.451(f)(3) and (10)**

447. Bricklaying

448. Employees doing overhand bricklaying from a supported scaffold shall be protected by a guardrail or personal fall arrest system on all sides except the side where the work is being done. **§1926.451(g)(1)(vi)**

449. Erectors and Dismantlers

450. A competent person shall determine the feasibility for safe access and fall protection for employees erecting and dismantling supported scaffolds. **§1926.451(e) and (g)(2).**

451. Fall Arrest Systems

452. Personal fall arrest systems include harnesses, components of the harness/belt such as Dee-rings and snaphooks, lifelines, and anchorage points of 5,000 pounds (22.2 kN). **§§1926.451(g)(3) and 1926.502(d)(15)**

453. Vertical or horizontal lifelines may be used. **§1926.451(g)(3)(ii)-(iv)**

454. Lifelines shall be independent of support lines and suspension ropes and not attached to the same anchorage point as the support or suspension ropes. **§1926.451(g)(3)(iii)-(iv)**

455. When working from an aerial lift, the fall arrest system lanyard shall be attached to the boom or basket. **§1926.453(b)(2)(v)**

456. Guardrails

457. Guardrails shall be installed along all open sides and ends and before the scaffold is released for use by employees other than the erection and dismantling crews. Guardrails are not required on the front edge of a platform if the front edge of the platform is less than 14 inches (36 centimeters) from the face of the work. When plastering and lathing is being done the distance is 18 inches (46 centimeters) or less from the front edge. When outrigger scaffolds are attached to supported scaffolds the distance is 3 inches (8 centimeters) or less from the front edge of the outrigger. **§1926.451 (b)(3) and (g)(4)**

458. The toprail for scaffolds must be 38 inches (0.97 meters) to 45 inches (1.2 meters) from the platform. Midrails are to be installed approximately halfway between the toprail and the platform surface. Toeboards are to be used to protect employees working below. **§§1926.451(g)(4)(ii) - (iv) and 1926.502(j)(1)**

459. When screens and mesh are used for guardrails, they shall extend from the top edge of the guardrail system to the scaffold platform, and along the entire opening between the supports. **§1926.451(g)(4)(v)**

460. Crossbracing is not acceptable as an entire guardrail system but is acceptable for a toprail when the crossing point of the two braces is between 38 inches (0.9 meters) and 48 inches (1.3 meters) above the work platform and for midrails when between 20 inches (0.5 meters) and 30 inches (0.8 meters) above the work platform. The end points of the crossbracing shall be no more than 48 inches (1.3 meters) apart vertically. **§1926.451(g)(4)(xv)**

461. Mobile

462. Support scaffold footings shall be level and capable of supporting the loaded scaffold. The legs, posts, frames, and uprights shall bear on base plates and mud sills. **§1926.451(c)(2)**

463. Supported scaffold platforms shall be fully planked or decked. **§1926.451(b)**

464. Each employee more than 10 feet (3.1 meters) above a lower level shall be protected from falls by guardrails or a fall arrest system, except those on single-point and two-point adjustable suspension scaffolds. Each employee on a single-point and two-point adjustable suspended scaffold shall be protected by both a personal fall arrest system and a guardrail. **§1926.451(g)(1)**

465. Planking

466. Scaffold planking shall be capable of supporting, without failure, its own weight and at least 4 times the intended load. Solid sawn wood, fabricated planks, and fabricated platforms may be used as scaffold planks, following the recommendations by the manufacturer or a lumber grading association or inspection agency. Tables showing maximum permissible spans, rated load capacity, nominal thickness, etc., are in Appendix A of Subpart L (1)(b) and (c). **§1926.451(a)(1)**

467. ## Supported Scaffolds

468. Supported scaffolds are platforms supported by legs, outrigger beams, brackets, poles, uprights, posts, frames, or similar rigid supports. The structural members — poles, legs, posts, frames, and uprights — shall be plumb and braced to prevent swaying and displacement. **§1926.451(b)-(c)**

469. Supported scaffold poles, legs, posts, frames, and uprights shall bear on base plates and mud sills, or on another adequate firm foundation. **§1926.451(c)(2)**

470. Either the manufacturer's recommendation or the following placements shall be used for guys, ties, and braces: install guys, ties, and braces at the closest horizontal member to the 4:1 height and repeat vertically with the top restraint no further than the 4:1 height from the top:

471. Vertically

472. • every 20 feet (6.1 meters) or less for scaffolds less than 3 feet (0.9 meters) wide;

473. • every 26 feet (7.9 meters) or less for scaffolds more than 3 feet (0.9 meters) wide;

474. Horizontally

475. • at each end;

476. • at intervals not to exceed 30 feet (9.1 meters) from one end. **§1926.451(c)**

477. ## Suspension Scaffolds

478. Each employee more than 10 feet (3.1 meters) above a lower level shall be protected from falling by guardrails and a personal fall arrest system when working from single or two-point suspended scaffolds and self-contained adjustable scaffolds that are supported by ropes. **§1926.451(g)(1)(ii) and (iv)**

479. Each employee 10 feet (3.1 meters) above a lower level shall be protected from falling by a personal fall arrest system when working from a boatswain's chair, ladder jack, needle beam, float, or catenary scaffolds. **§1926.451(g)(1)(i)**

480. Lifelines shall be independent of support lines and suspension ropes and not attached to the same anchorage point as the support or suspension ropes. **§1926.451(g)(3)(iii) and (iv)**

481. A competent person shall inspect the ropes for defects prior to each workshift and after every occurrence which could affect a rope's integrity, evaluate the direct connections that support the load, and determine if two-point and multi-point scaffolds are secured from swaying. **§1926.451(d)(3)(i), (d)(10), (d)(18), and (f)(3)**

482. The use of repaired wire rope is prohibited. **§1926.451(d)(7)**

483. Tiebacks shall be secured to a structurally sound anchorage on the building or structure. Tiebacks shall not be secured to standpipes, vents, other piping systems, or electrical conduits. **§1926.451(d)(3)(ix) and (d)(5)**

484. A single tieback shall be installed perpendicular to the face of the building or structure. Two tiebacks installed at opposing angles are required when a perpendicular tieback cannot be installed. **§1926.451(d)(3)(x)**

485. Only those items specifically designed as counterweights shall be used. Sand, gravel, masonry units, rolls of roofing felt, and other such materials shall not be used as counterweights. **§1926.451(d)(3)(ii) and (iii)**

486. Counterweights used for suspended scaffolds shall be made of materials that can not be easily dislocated. **§1926.451(d)(3)(ii)**

487. Counterweights shall be secured by mechanical means to the outrigger beams. **§1926.451(d)(3)(iv)**

488. Signs, Signals, and Barricades

489. Construction areas shall be posted with legible traffic signs at points of hazard. **§1926.200(g)(1)**

490. Barricades for protection of employees shall conform to Part 6 of the *Manual on Uniform Traffic Control Devices*. **§1926.202(g)(2)**

491. Silica

492. Appropriate engineering controls, personal protective equipment, respirators, and work practices shall be used to protect employees from crystalline silica. **§1926.55 and OSHA Special Emphasis Program for Silicosis 5/2/96**

493. Stairs (See Also Railings)

494. A stairway or ladder must be provided at all worker points of access where there is a break in elevation of 19 inches (48.3 centimeters) or more and no ramp, runway, sloped embankment, or personnel hoist is provided. **§1926.1051(a)**

495. Except during construction of the actual stairway, skeleton metal frame structures and steps must not be used (where treads and/or landings are to be installed at a later date), unless the stairs are fitted with secured temporary treads and landings. **§1926.1052(b)(2)**

496. When there is only one point of access between levels, it must be kept clear to permit free passage by workers. If free passage becomes restricted, a second point of access must be provided and used. **§1926.1051(a)(3)**

497. When there are more than two points of access between levels, at least one point of access must be kept clear. **§1926.1051(a)(4)**

498. All stairway and ladder fall protection systems must be provided and installed as required by the stairway and ladder rules *before* employees begin work that requires them to use stairways or ladders and their respective fall protection systems. **§1926.1051(b)**

499. Stairways that will not be a permanent part of the structure on which construction work is performed must have landings at least 30 inches deep and 22 inches wide (76.2 x 55.9 centimeters) at every 12 feet (3.7 meters) or less of vertical rise. **§1926.1052(a)(1)**

500. Stairways must be installed at least 30 degrees, and no more than 50 degrees, from the horizontal. **§1926.1052(a)(2)**

501. Where doors or gates open directly onto a stairway, a platform must be provided, and the swing of the door shall not reduce the effective width of the platform to less than 20 inches (51 centimeters). **§1926.1052(a)(4)**

502. Except during construction of the actual stairway, stairways with metal pan landings and treads must not be used where the treads and/or landings have not been filled in with concrete or other material, unless the pans of the stairs and/or landings are temporarily filled in with wood or other material. All treads and landings must be replaced when worn below the top edge of the pan. **§1926.1052(b)(1)**

503. Stairways having four or more risers, or rising more than 30 inches in height (76 centimeters), whichever is less, must have at least one handrail. A stairrail also must be installed along each unprotected side or edge. When the top edge of a stairrail system also serves as a handrail, the height of the top edge must not be more than 37 inches (94 centimeters) nor less than 36 inches (91.5 centimeters) from the upper surface of the stairrail to the surface of the tread in line with the face of the riser at the forward edge of the tread. **§1926.1052(c)(1)(i)-(ii) and (c)(7)**

504. Midrails, screens, mesh, intermediate vertical members, or equivalent intermediate structural members must be provided between the top rail and stairway steps of the stairrail system. **§1926.1052(c)(4)**

505. Midrails, when used, must be located midway between the top of the stairrail system and the stairway steps. **§1926.1052(c)(4)(i)**

506. The height of handrails must not be more than 37 inches (93.9 centimeters) nor less than 30 inches (76.2 centimeters) from the upper surface of the handrail to the surface of the tread in line with the face of the riser at the forward edge of the tread. **§1926.1052(c)(6)**

507. The height of the top edge of a stairrail system used as a handrail must not be more than 37 inches (94 centimeters) nor less than 36 inches (91.5 centimeters) from the upper surface of the stairrail system to the surface of the tread in line with the face of the riser at the forward edge of the tread. **§1926.1052(c)(7)**

508. Temporary handrails must have a minimum clearance of 3 inches (7.6 centimeters) between the handrail and walls, stairrail systems, and other objects. **§1926.1052(c)(11)**

509. Unprotected sides and edges of stairway landings must be provided with guardrail systems. **§1926.1052(c)(12)**

510. Steel Erection

511. Each employee engaged in a steel erection activity who is on a walking/working surface with an unprotected side or edge more than 15 feet (4.6 meters) above a lower level shall be protected from fall hazards by guardrail systems, safety net systems, personal fall arrest systems, positioning device systems or fall restraint systems. **§1926.760(a)(1)**

512. Connectors more than two stories or 30 feet (9.1 meters) above a lower level, whichever is less or at heights over 15 feet and up to 30 feet above a lower level shall be protected with a personal fall arrest system, positioning device system or fall restraint, or be provided with other means of protection from fall hazards. **§1926.760(b)(1) and (3)**

513. Training shall be provided for all employees exposed to fall hazards. Special training shall be provided to connectors, workers in controlled decking zones, and those rigging for multiple lifts. **§1926.761(c)**

514. Steel erection begins when written notification that the concrete in the footings, piers, and walls or the mortar in the masonry piers and walls has attained the strength to support the loads imposed during steel erection. **§1926.752(b)**

515. Columns shall be anchored by a minimum of four anchor rods (anchor bolts). **§1926.755(a)(1)**

516. Solid web structural members shall be secured with at least two bolts per connection before being released from the hoisting line. **§1926.756(a)(1)**

517. Open web joists must be field bolted at each end of the bottom chord before being released from the hoisting line. **§1926.757(a)(1)(iii)**

518. Decking shall be laid tightly and secured. **§1926.754(e)(5)**

519. Controlled decking zones shall be clearly marked and only those employees engaged in leading edge work are permitted to work in the area. **§1926.760(c)**

520. Cranes used in steel erection shall be inspected prior to each shift by a competent person. Routes for a suspended load shall be planned to ensure no employee is required to work directly under the load except for connecting or hooking or unhooking. Hooks with self-closing latches shall be used. All loads shall be rigged by a qualified rigger. Multiple lifts shall hoist a maximum of five members. **§1926.753(c)(1), (d) and (e)**

521. Storage

522. All materials stored in tiers shall be secured to prevent sliding, falling, or collapsing. **§1926.250(a)(1)**

523. Aisles and passageways shall be kept clear and in good repair. **§1926.250(a)(3)**

524. Storage of materials shall not obstruct exits. **§1926.151(d)(1)**

525. Materials shall be stored with due regard to their fire characteristics. **§1926.151(d)(2)**

526. Toeboards

527. Toeboards, when used to protect workers from falling objects, shall be erected along the edge of the overhead walking/working surface. **§1926.502(j)(1)**

528. A standard toeboard shall be at least 3-1/2 inches (9 centimeters) in height and may be of any substantial material either solid or open, with openings not to exceed 1 inch (2.54 centimeters) in greatest dimension. It must withstand a force of 50 pounds (22.67 kg) at any direction on any point. **§1926.502(j)(2)-(3)**

529. Toilets

530. Toilets shall be provided according to the following: 20 or fewer persons — one facility; 20 or more persons — one toilet seat and one urinal per 40 persons; 200 or more persons — one toilet seat and one urinal per 50 workers. **§1926.51(c)(1)**

531. This requirement does not apply to mobile crews having transportation readily available to nearby toilet facilities. **§1926.51(c)(4)**

532. Tools — Hand and Power (See Also Hand Tools)

533. All hand and power tools and similar equipment, whether furnished by the employer or the employee, shall be maintained in a safe condition. **§1926.300(a)**

534. When power operated tools are designed to accommodate guards, they shall be equipped with such guards when in use. **§1926.300(b)(1)**

535. Underground Construction

536. The employer shall provide and maintain safe means of access and egress to all work stations. **§1926.800(b)(1)**

537. The employer shall control access to all openings to prevent unauthorized entry underground. Unused chutes, manways, or other openings shall be tightly covered, bulkheaded, or fenced off, and shall be posted with signs indicating "Keep Out" or similar language. Complete or unused sections of the underground facility shall be barricaded. **§1926.800(b)(3)**

538. Unless underground facilities are sufficiently completed so that the permanent environmental controls are effective and the remaining construction activity will not cause any environmental hazard or structural failure within the facilities, the employer shall maintain a check-in/check-out procedure that will ensure that aboveground designated personnel can determine an accurate count of the number of persons underground in the event of an emergency. **§1926.800(c)**

539. All employees shall be instructed to recognize and avoid hazards associated with underground construction activities. **§1926.800(d)**

540. Hazardous classifications are for "potentially gassy" and "gassy" operations. **§1926.800(h)**

541. The employer shall assign a competent person to perform all air monitoring to determine proper ventilation and quantitative measurements of potentially hazardous gases. **§1926.800(j)(1)(i)(A)**

542. Fresh air shall be supplied to all underground work areas in sufficient quantities to prevent dangerous or harmful accumulation of dust, fumes, mists, vapors, or gases. **§1926.800(k)(1)(i)**

543. Wall Openings, Underground Construction

544. Each employee working on, at, above, or near wall openings (including those with chutes attached) where the outside bottom edge of the wall opening is 6 feet (1.8 meters) or more above lower levels and the inside bottom edge of the wall opening is less than 39 inches (1 meter) above the walking/working surface must be protected from falling by the use of a guardrail system, a safety net system, or a personal fall arrest system. **§1926.501(b)(14)**

545. When an employee is exposed to falling objects, the employer must ensure that each employee wear a hard hat and erect toeboards, screens, or guardrail systems; or erect a canopy structure and keep potential fall objects far enough from the edge of the higher level; or barricade the area to which objects could fall. **§1926.501(c)**

546. Washing Facilities

547. The employers shall provide adequate washing facilities for employees engaged in operations involving harmful substances. **§1926.51(f)(1)**

548. Washing facilities shall be near the worksite and shall be so equipped as to enable employees to remove all harmful substances. **§1926.51(f)(1)**

549. Water for Drinking (See Drinking Water)

550. Welding, Cutting, and Heating

551. Employers shall instruct employees in the safe use of welding equipment. **§§1926.350(d) and 1926.351(d)**

552. Proper precautions (isolating welding and cutting, removing fire hazards from the vicinity, providing a fire watch) for fire prevention shall be taken in areas where welding or other "hot work" is being done. No welding, cutting, or heating shall be done where the application of flammable paints, or the presence of other flammable compounds or heavy dust concentrations creates a fire hazard. **§1926.352(a)-(c) and (f)**

553. Arc welding and cutting operations shall be shielded by noncombustible or flameproof screens to protect employees and other persons in the vicinity from direct arc rays. **§1926.351(e)**

554. When electrode holders are to be left unattended, the electrodes shall be removed and the holder shall be placed or protected so that they cannot make electrical contact with employees or conducting objects. **§1926.351(d)(1)**

555. All arc welding and cutting cables shall be completely insulated and be capable of handling the maximum current requirements for the job. There shall be no repairs or splices within 10 feet (3 meters) of the electrode holder, except where splices are insulated equal to the insulation of the cable. Defective cable shall be repaired or replaced. **§1926.351(b)(1)-(2) and (4)**

556. Fuel gas and oxygen hose shall be easily distinguishable and shall not be interchangeable. Hoses shall be inspected at the beginning of each shift and shall be repaired or replaced if defective. **§1926.350(f)(1) and (3)**

557. General mechanical ventilation, local exhaust ventilation, air line respirators, and other protection shall be provided, as required, when welding, cutting or heating:
558. • Zinc, lead, cadmium, chromium, mercury, or materials bearing, based, or coated with beryllium in enclosed spaces;
559. • Stainless steel with inert-gas equipment;
560. • In confined spaces; and
561. • Where an unusual condition can cause an unsafe accumulation of contaminants. **§1926.353(b)(1), (c)(1)(i)-(iv), (c)(2)(i)-(iv), (d)(1)(iv), and (e)(1)**

562. Proper eye protective equipment to prevent exposure of personnel shall be provided. **§1926.353(e)(2)**

563. Woodworking Machinery (See Also Saws)

564. All fixed power-driven woodworking tools shall be provided with a disconnect switch that can be either locked or tagged in the off position. **§1926.304(a)**

565. All woodworking tools and machinery shall meet applicable requirements of ANSI 01.1-1961, *Safety Code for Woodworking Machinery.* **§1926.304(f)**

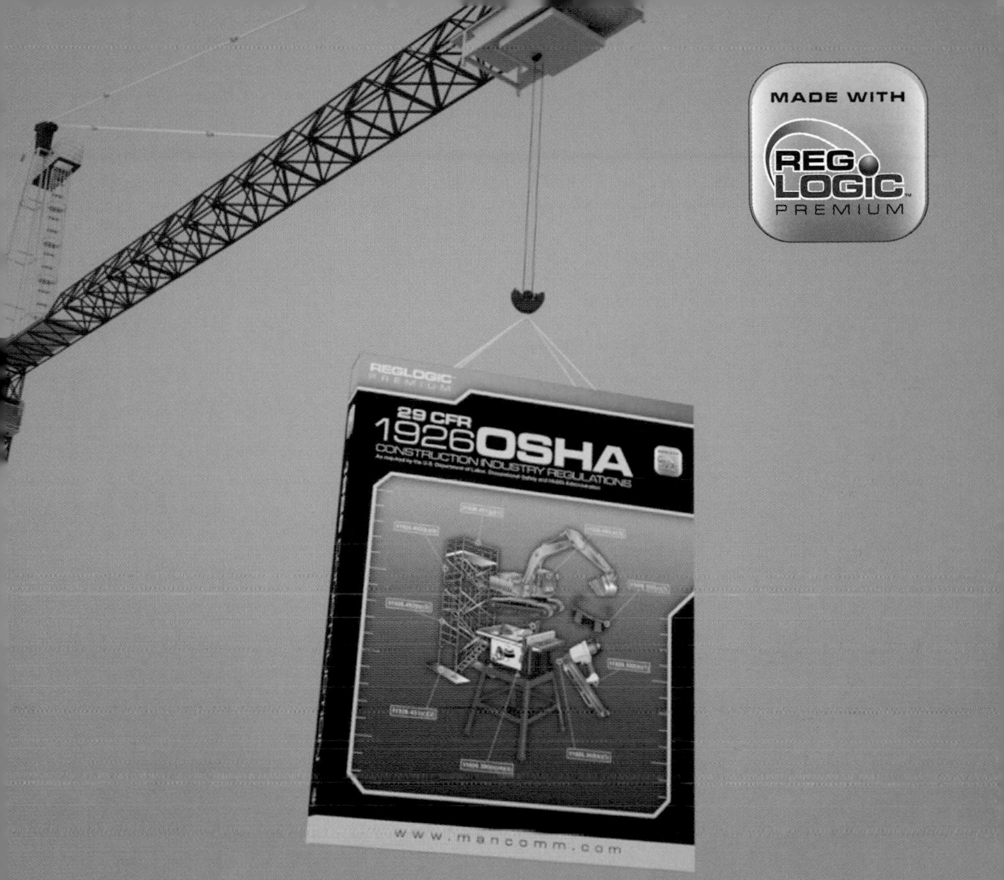

§1926.406
Specific purpose equipment and installations

(a) **Cranes and hoists.** This paragraph applies to the installation of electric equipment and wiring used in connection with cranes, monorail hoists, hoists, and all runways.[§1926.406(a)]

(1) *Disconnecting means.*[§1926.406(a)(1)]

(i) *Runway conductor disconnecting means.* A readily accessible disconnecting means shall be provided between the runway contact conductors and the power supply. [§1926.406(a)(1)(i)]

(ii) *Disconnecting means for cranes and monorail hoists.* A disconnecting means, capable of being locked in the open position, shall be provided in the leads from the runway contact conductors or other power supply on any crane or monorail hoist.[§1926.406(a)(1)(ii)]

[A] If this additional disconnecting means is not readily accessible from the crane or monorail hoist operating station, means shall be provided at the operating station to open the power circuit to all motors of the crane or monorail hoist.[§1926.406(a)(1)(ii)[A]]

[B] The additional disconnect may be omitted if a monorail hoist or hand-propelled crane bridge installation meets all of the following:[§1926.406(a)(1)(ii)[B]]

[1] The unit is floor controlled;[§1926.406(a)(1)(ii)[B][1]]

[2] The unit is within view of the power supply disconnecting means; and[§1926.406(a)(1)(ii)[B][2]]

[3] No fixed work platform has been provided for servicing the unit.[§1926.406(a)(1)(ii)[B][3]]

What is RegLogic®?

RegLogic® is a graphical approach to help you effortlessly navigate government regulatory information.

- Color coding for fast reference
- Bold text and italics
- Outline format with indenting lets you find exactly what you need without confusion
- Bracketed revisions in outline format
- Easy-to-use index, including page numbers in color and section numbers for easy access
- Enhanced color graphics

Manual para Uso en el Sitio de Construcción

(Déle vuelta para ver la versión en inglés.)

Índice de Materias

(Los números rojos que preceden cada párrafo y los números de las páginas en el fondo de cada página son los mismos en español y en inglés para referencia rápida.)

MANCOMM®

Changing The Complex Into Compliance®

MANCOMM
315 West Fourth Street
Davenport, Iowa 52801
(563) 323-6245
1-800-MANCOMM
(626-2666)
Fax: (563) 323-0804
Website: http://www.mancomm.com
E-mail: safetyinfo@mancomm.com

MANCOMM®

Changing The Complex Into Compliance®

MANCOMM
315 West Fourth Street
Davenport, Iowa 52801
(563) 323-6245
1-800-MANCOMM
(626-2666)
Fax: (563) 323-0804
Website: http://www.mancomm.com
E-mail: safetyinfo@mancomm.com

ISBN:1-59959-440-4

Índice de Sujetos

Las Normas Más Comunes Citadas para la Industria de la Construcción (29 CFR 1926), Oct. 2011 a Sept. 2012

Grado	Norma	Descripción
1	1926.501	Alcance/Aplicaciones/Definiciones de la Protección contra Caídas
2	1926.451	Los Andamios
3	1926.1053	Escaleras de Mano
4	1926.503	Requisitos de Entrenamiento para la Protección contra Caídas
5	1926.100	Cascos
6	1926.102	Protección para los Ojos y el Rostro
7	1926.453	Andamios y Escaleras de Mano Móviles de Desplazamiento Manual
8	1926.405	Métodos de Cableado Eléctrico, Componentes y Equipamiento, Uso General
9	1926.20	Construcción, las Provisiones Generales de la Seguridad y la Salud
10	1926.651	Excavaciones, Requisitos Generales
11	1926.404	Eléctrico, Diseño de Cableado y Protección
12	1926.502	Criterios y Prácticas de los Sistemas de Protección contra Caídas
13	1926.454	Requisitos de adiestramiento
14	1926.652	Excavaciones, Requisitos para los Sistemas de Protección
15	1926.403	Eléctrico, Requisitos Generales

 (Todas las páginas coinciden con el inglés cuando se le da vuelta.)

Índice

1. Acceso a los Expedientes Médicos y Registros de Exposición

2. Cada empleador debe de permitir que los empleados, los representantes que éstos hayan designado, y OSHA tengan acceso directo a los expedientes médicos y registros de exposición que están en poder del empleador. La norma limita el acceso sólo a aquellos empleados que están, han estado (incluyendo a los antiguos empleados), o estarán expuestos a sustancias tóxicas o agentes físicos nocivos. **§1910.1020(e)(2)(iii) y (3)(i) son aplicables a la construcción según §1926.33**

3. Cada empleador debe de guardar y mantener expedientes médicos y registros de exposición precisos para cada empleado. Los registros de exposición y los análisis de datos basados en ellos se deben de guardar durante 30 años. Los expedientes médicos se deben de guardar por lo menos mientras el empleado mantenga su empleo y los 30 años posteriores. Los datos antecedentes de los registros de exposición, tales como los informes de laboratorio y hojas de trabajo se deben de guardar solamente durante 1 año.

4. No es necesario guardar los registros de los empleados que hayan trabajado menos de 1 año después de emplearlo, pero el empleador debe de entregar estos registros al empleado en el momento en que deje el empleo. No es necesario guardar los registros de primeros auxilios de tratamientos realizados una sola vez durante un período específico. **§1910.1020(d) es aplicable a la construcción según §1926.33**

5. Señales y Rótulos para la Prevención de Accidentes

6. Se usarán señales de peligro sólo donde exista un riesgo inmediato. **§1926.200(b)(1)**

7. Las señales de precaución se usarán sólo como advertencia contra posibles riesgos o prácticas inseguras. **§1926.200(c)(1)**

8. Responsabilidades en la Prevención de Accidentes

9. Estos programas deben de establecer la realización de inspecciones frecuentes y regulares de los lugares de trabajo, materiales, y equipos efectuadas por personas competentes designadas por los empleadores. **§1926.20(b)(2)**

10. Aparatos Elevadores

11. Entre los aparatos elevadores, a motor o manuales, se incluyen, sin limitarse a, los siguientes tipos de dispositivos elevadores montados en vehículos que se utilizan para transportar al personal a los emplazamientos de trabajo ubicados por sobre el nivel del suelo: plataformas elevadoras extensibles, escaleras, plataformas elevadoras articuladas, y torres verticales. **§1926.453(a)(1)**

12. Cuando se operan aparatos elevadores, los empleadores deben de asegurarse de que los empleados estén

13. • Entrenados,
14. • Autorizados,
15. • Que usen frenos y vigas estabilizadoras,
16. • Que no superen los límites de carga del elevador y de la canasta,
17. • Que usen protección personal contra caídas cuando se requiera, y
18. • Que no utilicen elementos como, por ejemplo, escaleras de mano, zancos, o taburetes para elevar al empleado por sobre la canasta.

19. Además, los fabricantes o su equivalente deben de certificar, por escrito, todas las modificaciones realizadas a los aparatos elevadores. **§§1926.453(a)(2) y 1926.453(c)**

20. ## Herramientas Neumáticas

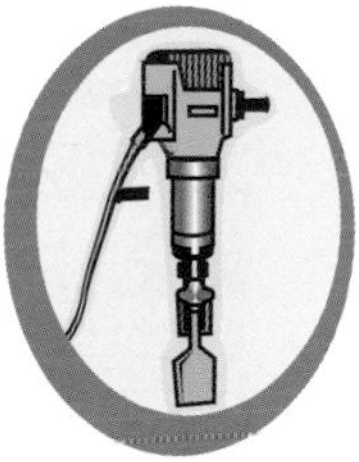

21. Las herramientas neumáticas deben de estar bien sujetas a la manguera para evitar que se produzca una desconexión accidental. **§1926.302(b)(1)**

22. Los cierres de seguridad o retenes de las herramientas neumáticas de impacto deben de estar instalados y mantenidos de forma segura a fin de evitar que los accesorios se expulsen de forma accidental. **§1926.302(b)(2)**

23. No se deben de exceder la presión de operación para seguridad, establecida por el fabricante, para todos los accesorios. **§1926.302(b)(5)**

24. Todas las mangueras cuyo diámetro interno sea superior a 1/2-pulgada (1.3 centímetros) deben de contar con un dispositivo de seguridad ubicado en la fuente de abastecimiento o en la línea secundaria para reducir la presión en caso de que se produzca una falla en la manguera. **§1926.302(b)(7)**

25. ## Asbesto

26. En aquellos lugares de trabajo o en aquellos lugares en que, dada la naturaleza del trabajo, sea necesario realizar un control de exposición, el empleador debe de realizar un control para determinar de forma precisa las concentraciones de asbesto en el aire a las que los empleados puedan estar expuestos. **§1926.1101(f)(1)(i)**

27. Los empleadores también deben de garantizar que ningún empleado esté expuesto a una concentración de asbesto en el aire que sea superior a 0.1 f/cc como límite promedio en un tiempo considerado de 8 horas (TWA). **§1926.1101(c)(1)**

28. Además, los empleadores deben de garantizar que ningún empleado esté expuesto a una concentración de asbesto en el aire que sea superior a 1 f/cc como promedio, durante un período de muestreo de 30 minutos. **§1926.1101(c)(2)**

29. Se deben de utilizar respiradores durante (1) todas las tareas con asbesto de Clase I; (2) todas las tareas de Clase II en las que el material que contiene asbesto no se elimine de forma sustancialmente intacta; (3) todas las tareas de Clase II y III en las que no se utilicen tratamientos por vía húmeda, excepto en el caso de techos inclinados; (4) todas las tareas de Clase II y III que no cuenten con una evaluación de exposición negativa; (5) todas las tareas de Clase III en las que el aislamiento del sistema térmico, o el recubrimiento que contiene asbesto o el material que supuestamente contiene asbesto esté cortado, desgastado, o roto; (6) todas las tareas de Clase IV dentro de un área regulada en las que sea necesario utilizar respiradores; (7) todas las tareas en las que los empleados estén expuestos a valores superiores a los de PEL o STEL; y (8) en casos de emergencia. **§1926.1101(h)(1)(i)-(viii)**

30. El empleador debe de proporcionar y exigir el uso de ropa protectora — como, por ejemplo, overol u otro tipo de vestimenta que cubra todo el cuerpo, pasamontañas, guantes, y cubiertas para los pies — para

31. • Cualquier empleado que esté expuesto a la presencia de asbesto en el aire que supere los valores de PEL o STEL,

32. • Trabaje sin una evaluación de exposición negativa, o

33. • Cualquier empleado que realice tareas de Clase I que involucren la eliminación de más de 25 pies lineales o 10 pies cuadrados (3.048 metros cuadrados) de material de aislamiento del sistema térmico o de recubrimiento que contiene asbesto o de materiales que supuestamente contienen asbesto. **§1926.1101(i)(1)**

34. El empleador debe de proporcionar un programa de supervisión médica para todos los empleados que — durante un período total combinado de 30 días o más por año — se vean involucrados en tareas de Clase I, II, o III o que estén expuestos a valores iguales o superiores a PEL o STEL; o que usen respiradores de presión negativa. **§1926.1101(m)(1)(i)**

35. Persona Autorizada

36. La persona autorizada es una persona aprobada o designada por el empleador para ejecutar un tipo de tarea o tareas específicas o para que esté en una ubicación o ubicaciones específicas en el lugar de trabajo. **§1926.32(d)**

37. Máquinas de Lijado Accionadas por Correa

38. Las máquinas de lijado accionadas por correa deben de contar con dispositivos de protección en cada punto de contacto donde la correa de lijado se introduzca en una polea. **§1926.304(f), incorporado de ANSI 01.1-1961, Sección 4.9.4**

39. El tendido no utilizado de la correa de lijado debe de contar con una protección para evitar el contacto accidental. **§1926.304(f), incorporado de ANSI 01.1-1961, Sección 4.9.4**

40. Agentes de Voladura (Vea Explosivos y Voladuras)

41. Cadenas (Vea Grúas y Grúas de Maniobra; Mecanismos de Elevación, para Material y Personal; Aparejos)

42. Información Sobre Productos Químicos (Vea Comunicación de Riesgos)

43. Persona Competente

44. La persona competente es una persona que es capaz de identificar los riesgos existentes y predecibles del entorno o las condiciones de trabajo que no cumplan con los principios de sanidad, que sean riesgosas, o peligrosas para los empleados, y que cuenta con la autorización para tomar las medidas correctivas inmediatas que sean necesarias para eliminar estos riesgos. **§1926.32(f)**

45. Uso de Aire Comprimido

46. El aire comprimido que se utiliza para fines de limpieza se debe de reducir a menos de 30 libras por pulgada cuadrada (psi) (207 KPa) y sólo se deberá usar si cuenta con protección eficaz y equipo protector personal. **§1926.302(b)(4)**

47. Este requisito no se aplica en el caso de formas para concreto, escorias de laminación, y operaciones de limpieza similares. **§1926.302(b)(4)**

48. Cilindros de Gases Comprimidos

49. Las tapas de protección de la válvula deben de estar colocadas en su lugar y bien ajustadas cuando los cilindros de gases comprimidos se transporten, se muevan, o se almacenen. **§1926.350(a)(1)**

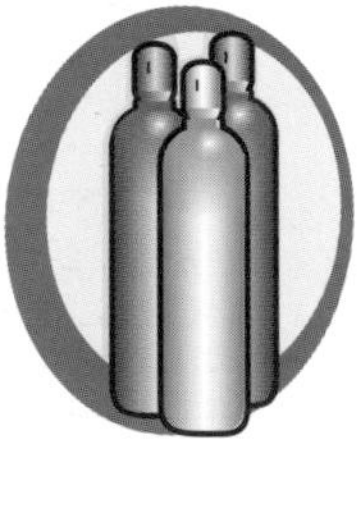

50. Las válvulas de los cilindros deben de estar cerradas cuando se termina el trabajo y cuando los cilindros estén vacíos o se cambien de lugar. **§1926.350(a)(8)**

51. Los cilindros de gas comprimido deben de estar sujetos en posición vertical en todo momento, salvo cuando sea necesario colocarlos en otra posición durante períodos de tiempo breves, al levantar o transportar los cilindros. **§1926.350(a)(9)**

52. Los cilindros deben de colocarse lo suficientemente alejados de los lugares donde se realizan operaciones de soldadura o recorte de modo que las chispas, las escorias calientes, o las llamas no. los alcancen. Cuando esto no sea práctico, se deberán suministrar blindajes resistentes al fuego. Los cilindros deben de ubicarse en un lugar donde no puedan formar parte de un circuito eléctrico. **§1926.350(b)(1)-(2)**

53. Los reguladores de oxígeno y gas combustible de presión deben de estar en buenas condiciones de funcionamiento mientras estén en uso. **§1926.350(h)**

54. Construcción de Albañilería y Hormigón

55. No se debe de colocar ninguna carga de materiales de construcción sobre una estructura de concreto (hormigón) o sobre parte de una estructura de concreto a menos que el empleador determine, basándose en la información suministrada por una persona especializada en diseño estructural, que la estructura o parte de dicha estructura es capaz de soportar esta carga. **§1926.701(a)**

56. No se deberá permitir que los empleados ejecuten tareas debajo de los baldes de concreto mientras se suben o bajan los baldes hacia o desde una posición. **§1926.701(e)(1)**

57. En la medida en que sea posible, los baldes de concreto que hayan sido elevados deben de dirigirse hacia su destino de tal modo que ningún empleado o la menor cantidad de empleados que sea posible estén expuestos a los peligros relacionados con la caída de baldes de concreto. **§1926.701(e)(2)**

58. La construcción del encofrado (formas para concreto) estará diseñada, fabricada, montada, sustentada, reforzada, y mantenida de tal modo que pueda soportar — sin excepción — todas las cargas verticales y laterales que, según se pueda preveer de modo razonable, que se apliquen a la construcción del encofrado. **§1926.703(a)(1)**

59. Los encofrados y puntales (salvo aquellos utilizados para las losas en los encofrados de rampas y encofrados deslizantes) no se deben de retirar hasta que el empleador determine que el concreto tiene la suficiente solidez como para soportar el peso y las cargas sobrepuestas. Tal determinación se deberá basar en el cumplimiento de uno de los siguientes criterios:

60. • Que los planos y especificaciones estipulen condiciones para la eliminación de encofrados y puntales, y que dichas condiciones se hayan cumplido, o

61. • Que el concreto se haya probado de forma adecuada utilizando un método de prueba estándar de American Society for Testing Materials (ASTM) que haya sido diseñado para indicar la resistencia a la compresión del concreto, y que los resultados de la prueba indiquen que el concreto ha adquirido la suficiente solidez como para soportar el peso y las cargas sobrepuestas. (ASTM, 100 Barr Harbor Drive, West Conshohocken, PA 19428; (610) 832-9585). **§1926.703(e)(1)(i)-(ii)**

62. Se debe de establecer una zona de acceso limitado siempre que se construya una pared de mampostería. La zona de acceso limitado deberá cumplir con lo siguiente:

63. • La zona de acceso limitado se deberá determinar antes de que se inicie la construcción de la pared.

64. • La zona de acceso limitado debe de ser igual a la altura de la pared que se construirá más una altura adicional de 4 pies (1.2 metros), y debe de extenderse a lo largo de la totalidad de la pared.

65. • La zona de acceso limitado se debe de establecer sobre el lado de la pared en el que no esté ubicado el andamio.

66. • Sólo aquellos empleados que estén participando activamente en la construcción de la pared podrán entrar en la zona de acceso limitado. Ningún otro empleado podrá entrar en la zona restringida.

67. • La zona de acceso limitado permanecerá habilitada hasta que la pared cuente con el soporte adecuado para evitar que se caiga sobre el costado o se derrumbe. Si la altura de la pared es superior a los 8 pies (2.4 metros), la zona de acceso limitado deberá seguir en existencia hasta que se cumplan los requisitos establecidos en el párrafo (b) de esta sección. **§1926.706(a)(1)-(5)**

68. Todas las paredes de mampostería que tengan más de 8 pies (2.4 metros) de altura deben de estar apuntaladas (reforzadas) de forma adecuada para evitar que se caigan sobre el costado o se derrumben a menos que la pared ya cuente con un soporte adecuado para que no se caiga sobre el costado ni se derrumbe. Los puntales deben de permanecer colocados hasta que los elementos de soporte permanentes de la estructura estén colocados en su lugar. **§1926.706(b)**

69. Espacios Cerrados

70. Todos los empleados que deban de ingresar a espacios o recintos cerrados deben de recibir instrucciones con respecto a la naturaleza de los riesgos inherentes, las precauciones necesarias que se deben de tomar, y al uso de equipo de protección y de emergencia necesario. El empleador debe de acatar todas las normas específicas que sean pertinentes para el trabajo realizado en áreas peligrosas o potencialmente peligrosas. Los espacios o recintos cerrados incluyen, sin limitarse a, tanques de almacenamiento, cubetas para procesos industriales, recipientes, calderas, canales de ventilación o evacuación, cloacas, cisternas subterráneas de las empresas de servicios públicos, túneles, tuberías, y espacios con la parte superior abierta que tengan más de 4 pies (1.2 metros) de profundidad como, por ejemplo, pozos, cubetas, cisternas, y recipientes. **§1926.21(b)(6)(i)-(ii))**

71. Trabajo de Construcción

72. El trabajo de construcción es el trabajo que se realiza para la construcción, modificación, y/o reparación, incluyendo pintura y decoración. **§1926.32(g)**

73. **Grúas y Grúas de Maniobra** (Vea También Mecanismos de Elevación, para Material y Personal; Aparejos)

74. El empleador deberá acatar las especificaciones y limitaciones establecidas por el fabricante. **§1926.1417(a)**

75. Las capacidades de carga máxima admisible, las velocidades de funcionamiento recomendadas, y las advertencias o instrucciones especiales con respecto a los riesgos se deben de colocar en todos los equipos en un lugar bien visible. Las instrucciones o advertencias deben de ser visibles desde la estación del operador. **§1926.1417(c)(1)**

76. El equipo debe de ser inspeccionado por una persona competente antes de cada uso, y durante el uso mismo y se deben de corregir las deficiencias antes de volver a utilizarlo. **§1926.1412(d)(1)**

77. Las áreas accesibles comprendidas dentro del radio de giro de la parte posterior de la superestructura giratoria deben de estar cerradas con barreras para evitar que los empleados sean golpeados o aplastados por la grúa. **§1926.1424(a)(2)(ii)**

78. .

Tabla A – Distancias mínimas de espacio libre

Voltaje (nominal, kV, corriente alterna)	Distancia mínima de seguridad (pies)
Hasta 50	10
De 50 a 200	15
De 200 a 350	20
De 350 a 500	25
De 500 a 750	35
De 750 a 1,000	45
Más de 1,000	(según lo establezca el propietario/operador de las instalaciones o un ingeniero profesional certificado que sea una persona calificada con respecto a la transmisión y distribución de la energía eléctrica)

79. Una persona calificada deberá realizar la inspección anual de la maquinaria que se utilice para izar. Se deben mantener registros de las fechas y los resultados de cada inspección. **§1926.1412(f)(1)-(2), (7)**

80. Todas las grúas móviles sobre orugas, sobre camiones, o sobre carriles en uso deben de cumplir con los requisitos que se establecen en ANSI B30.5-1968, *Safety Code for Crawler, Locomotive and Truck Cranes.* (212) 642-4900. **§1926.1433(a)-(b)**

81. Se prohíbe el uso de grúas o grúas de maniobra para elevar a los empleados a una plataforma para personal, salvo cuando el montaje, uso, o desmantelamiento de los medios convencionales para llegar al lugar de trabajo — como, por ejemplo, un mecanismo de elevación para el personal, escaleras de mano, escaleras, aparatos elevadores, plataforma de trabajo elevada, o andamios — fuera más peligroso o no fuera posible debido al diseño estructural o las condiciones del lugar de trabajo. Si se llega a la decisión de que éste es el caso, se deberá revisar y cumplir con 29 CFR 1926.550(g). **§1926.1431(a)**

82.

ALTO: con un brazo extendido en forma horizontal al costado del cuerpo y la palma hacia abajo, mover el brazo hacia adelante y hacia atrás.

PARADA DE EMERGENCIA: con ambos brazos extendidos en forma horizontal al costado del cuerpo y las palmas hacia abajo, mover los brazos hacia adelante y hacia atrás.

IZAR: con un brazo extendido al costado del cuerpo y el antebrazo y el dedo índice apuntando hacia arriba, hacer pequeños círculos con la mano y el dedo.

ELEVAR LA PLUMA: con un brazo extendido en forma horizontal al costado del cuerpo, colocar el dedo pulgar apuntando hacia arriba y mantener el resto de los dedos cerrados.

GIRAR: con un brazo extendido en forma horizontal, apuntar con el dedo índice en la dirección que debe girar la pluma.

RETRAER LA PLUMA TELESCÓPICA: con ambas manos hacia adelante a la altura de la cintura, colocar los pulgares apuntando uno hacia el otro y mantener el resto de los dedos cerrados.

Origen: Apéndice A para la Subparte CC de la Parte 1926

83.

SUBIR LA PLUMA Y BAJAR LA CARGA: con un brazo extendido en forma horizontal al costado del cuerpo y el dedo pulgar apuntando hacia arriba, abrir y cerrar el resto de los dedos mientras se desee que la carga esté en movimiento.

AJUSTAR TODO: tomarse las manos a la altura de la cintura.

BAJAR: con un brazo y el dedo índice apuntando hacia abajo, hacer pequeños círculos con la mano y el dedo.

BAJAR LA PLUMA: con un brazo extendido en forma horizontal al costado del cuerpo, colocar el dedo pulgar apuntando hacia abajo y mantener el resto de los dedos cerrados.

EXTENDER LA PLUMA TELESCÓPICA: con ambas manos hacia adelante a la altura de la cintura, colocar los pulgares apuntando hacia afuera y mantener el resto de los dedos cerrados.

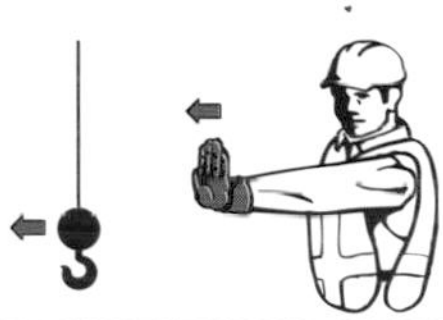

DESPLAZAMIENTO/DESPLAZAMIENTO DE LA TORRE: con todos los dedos apuntando hacia arriba, extender y retraer el brazo en forma horizontal imitando un movimiento de empuje en la dirección del desplazamiento.

Origen: Apéndice A para la Subparte CC de la Parte 1926

84.

BAJAR LA PLUMA Y SUBIR LA CARGA: con un brazo extendido en forma horizontal al costado del cuerpo y el dedo pulgar apuntando hacia abajo, abrir y cerrar el resto de los dedos mientras se desee que la carga esté en movimiento.

MOVERSE LENTAMENTE: colocar una mano en frente de la mano que está realizando la señal.

UTILIZAR IZADOR AUXILIAR *(línea secundaria)*: con el brazo doblado a la altura del codo y el antebrazo en posición vertical, golpearse el codo con la otra mano. Luego, utilizar la señal común para indicar la acción deseada.

DESPLAZAR GRÚA ORUGA, DOS VÍAS: rotar los puños uno alrededor del otro enfrente del cuerpo; alejar el movimiento del cuerpo indica desplazar hacia adelante; acercar el movimiento al cuerpo indica desplazar hacia atrás.

UTILIZAR IZADOR PRINCIPAL: dar golpes con una mano sobre la cabeza. Luego, utilizar la señal común para indicar la acción deseada.

DESPLAZAR GRÚA ORUGA, UNA VÍA: indicar la vía que se desea bloquear elevando el puño del lado de dicha vía. Rotar el otro puño enfrente del cuerpo en la dirección en la que se desea que se desplace la vía.

DESPLAZAR EL CARRO: con una palma hacia arriba, el dedo pulgar apuntando en la dirección del movimiento y el resto de los dedos cerrados, sacudir la mano en forma horizontal en la dirección en la que se desea que se desplace el carro.

Origen: Apéndice A para la Subparte CC de la Parte 1926

85. ## Grúas de Maniobra (Vea Grúas y Grúas de Maniobra; Aparejos)

86. ## Empleado Designado

87. El término empleado designado se refiere a una persona calificada a la que se le encarga que cumpla con tareas específicas conforme a las condiciones existentes. **§1926.960(o)**

88. ## Persona Designada

89. Persona designada significa "persona autorizada." **§1926.32(i) y (d)**

90. ## Conductos de Evacuación

91. Siempre que se dejen caer materiales desde una altura de más de 20 pies (6 metros) hacia cualquier punto exterior de un edificio, se deben de utilizar canales cerrados. **§1926.252(a)**

92. Cuando se dejen caer escombros a través de agujeros perforados en el piso sin que se utilicen canales, el área donde se arroja el material deberá estar encerrada con barreras cuya altura no sea menor de 42 pulgadas (106.7 centímetros) y a una distancia no menor de 6 pies (1.8 metros) desde los extremos sobresalientes de la abertura superior. Se deben de colocar letreros de advertencia con respecto al riesgo de caída de material en cada uno de los niveles. **§1926.252(b)**

93. ## Agua Potable

94. Se debe de proporcionar un suministro adecuado de agua potable en todos los lugares de trabajo. **§1926.51(a)(1)**

95. Los recipientes portátiles de agua potable deberán poder cerrarse bien y estar equipados con una tapa. **§1926.51(a)(2)**

96. Se prohíbe el uso de un vaso común para beber agua. **§1926.51(a)(4)**

97. Si se suministran vasos desechables (que se utilizan una sola vez), se deberá de colocar un recipiente sanitario para los vasos sin usar y un recipiente para vasos usados. **§1926.51(a)(5)**

98. ## Instalaciones Eléctricas

99. Los empleadores deben de suministrar interruptores de circuito accionados por corriente de pérdida a tierra (GFCIs) o un programa de conductor de puesta a tierra de equipos, garantizado para proteger a los empleados de los peligros de la conexión accidental a tierra en los emplazamientos de construcción. A continuación se detallan las dos opciones.

100. (1) Todos los tomacorrientes de 120 voltios, monofásicos, de 15 y 20 amperes que no formen parte del cableado permanente deben de estar protegidos con GFCIs. Los tomacorrientes de generadores más pequeños están exceptuados bajo ciertas condiciones.

101. (2) Se debe de implementar un programa de conductor de puesta a tierra de equipos garantizado que abarque los cables de extensión, tomacorrientes, y equipos conectados mediante cables y enchufes. El programa debe de incluir lo siguiente:

102. • Una descripción del programa por escrito.

103. • Por lo menos una persona capacitada para implementar el programa.

104. • Inspecciones visuales diarias de los cables de extensión y de los equipos conectados mediante cables y enchufes en busca de defectos. Si el equipo está dañado o tiene algún defecto, no se deberá utilizar hasta que esté reparado.

105. • Pruebas de continuidad de los conductores de puesta a tierra del equipo o tomacorrientes, cables de extensión, y equipo conectado mediante cables y enchufes. Estas pruebas generalmente deben de realizarse cada 3 meses.

106. • Los párrafos (f)(1) a (f)(11) de esta norma contienen los requisitos de puesta a tierra para los sistemas, circuitos, y equipos. **§1926.404(b)(1)(i)-(iii)(E)**

107. Los focos utilizados para la iluminación general deben de estar protegidos para evitar que se rompan, y los cascos de metal del portalámparas deben de estar conectados a tierra. **§1926.405(a)(2)(ii)(E)**

108. Las luces provisionales no deben de estar colgando del cable, a menos que estén diseñadas así. **§1926.405(a)(2)(ii)(F)**

109. La iluminación portátil que se utiliza en emplazamientos húmedos o conductores de electricidad como, por ejemplo, tanques y calderas, debe de funcionar a no más de 12 voltios o debe de estar protegida con GFCIs. **§1926.405(a)(2)(ii)(G)**

110. Los cables de extensión deben de ser de cables trifilares (de tres hilos). Los cables de extensión y los cables flexibles utilizados con luces temporarias y portátiles deben de estar diseñados para soportar un uso riguroso o extra riguroso (por ejemplo, los tipos S, ST, y SO). **§1926.405(a)(2)(ii)(J)**

111. No se deberán utilizar cordones o cables eléctricos gastados o deshilachados. **§1926.416(e)(1)**

112. Los cables de extensión no se deben de asegurar con broches, colgar de clavos, o quedar suspendidos de un alambre. **§1926.416(e)(2)**

113. Los espacios de trabajo, pasarelas, y otros lugares por el estilo deben de estar libres de cables. **§1926.416(b)(2)**

114. Se deberá instalar y utilizar equipo aprobado, rotulado, o certificado de acuerdo con las instrucciones que se incluyen en las especificaciones, rótulos o certificaciones. **§1926.403(b)(2)**

115. Prácticas Laborales Eléctricas

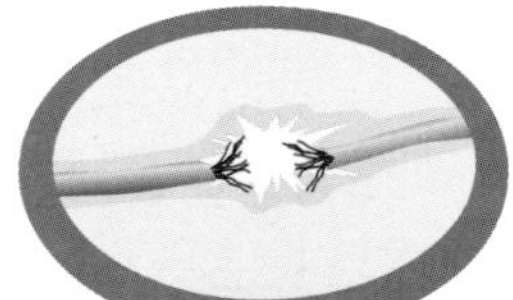

116. Los empleadores no deben de permitir que los empleados trabajen cerca de las partes con corriente ("vivas") de los circuitos eléctricos, a menos que los empleados estén protegidos a través de uno de los siguientes medios:

117. • Desactivar y conectar a tierra las partes.

118. • Proteger la parte mediante aislamiento.

119. • Cualquier otro medio que sea eficaz. **§1926.416(a)(1)**

120. En las áreas de trabajo en las que se desconozca la ubicación exacta de las líneas subterráneas de alimentación eléctrica, los empleados que utilicen martillos neumáticos o eléctricos con punta o cincel, barras, u otras herramientas manuales que puedan hacer contacto con las líneas deben de usar guantes, delantales aislantes, u otra vestimenta protectora que les brinde una protección similar contra la electricidad. **§§1926.416(a)(2) y 1926.95(a)**

121. Se deben de utilizar barreras u otras protecciones para garantizar que el espacio de trabajo del equipo eléctrico no se utilizará como pasadizo durante los períodos en las que las partes electrizadas del equipo estén expuestas. **§1926.416(b)(1)**

122. Se deben de conectar cables flexibles a los dispositivos y accesorios de cableado de tal modo que estén protegidos contra los tirones, para evitar que la tracción se transmita de forma directa a las juntas o los tornillos de sujeción. **§1926.405(g)(2)(iv)**

123. El equipo o los circuitos que estén desactivados (sin corriente) deberán ponerse fuera de servicio y se deben de colocar rótulos en todos los puntos en los que el equipo o los circuitos se pudieran activar. **§1926.417(b)**

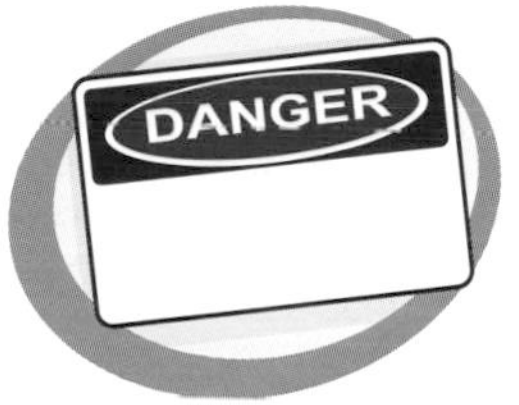

124. **Excavación y Apertura de Zanjas**

125. La ubicación estimada de las instalaciones de servicios — como, por ejemplo, alcantarillado, líneas telefónicas o eléctricas, conductos de combustible, agua o cualquier otra instalación subterránea que probablemente se pueda encontrar durante los trabajos de excavación — deberán determinarse antes de comenzar la excavación. **§1926.651(b)(1)**

126. Se debe de contactar a las empresas o los propietarios de servicios públicos dentro de los tiempos de respuesta locales establecidos o habituales, se les debe de informar acerca del trabajo propuesto y se les debe de solicitar que indiquen cuál es la ubicación de las instalaciones subterráneas de servicios públicos antes de comenzar la excavación en sí. Si las empresas o los propietarios de servicios públicos no responden al pedido de averiguación de la ubicación de las instalaciones subterráneas dentro de las 24 horas (a menos que la ley estatal o local establezca un período de tiempo más prolongado), o no puedan establecer con exactitud la ubicación de estas instalaciones, el empleador puede continuar con el trabajo, siempre y cuando lo haga con precaución, y utilizando un equipo de detección u otro medio aceptable para localizar la ubicación de las instalaciones de servicios públicos. **§1926.651(b)(2)**

127. Cuando las operaciones de excavación se acerquen a la ubicación estimada de las instalaciones subterráneas, la ubicación exacta de dichas instalaciones se deberá determinar a través de medios seguros y aceptables. Mientras la excavación permanezca abierta, las instalaciones subterráneas se deberán proteger, respaldar, o eliminar según sea necesario, para proteger a los empleados. **§1926.651(b)(3)-(4)**

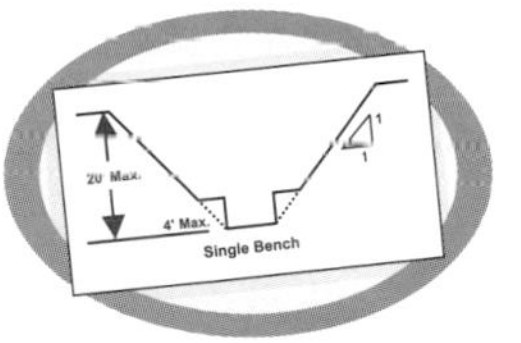

128. Cada empleado que trabaje en una excavación deberá estar protegido contra los derrumbes mediante un sistema de protección adecuado, excepto cuando:

129. • Las excavaciones estén realizadas completamente sobre rocas estables, o tengan menos de 5 pies (1.5 metros) de profundidad y el examen del lugar llevado a cabo por una persona capacitada indique que no existen riesgos potenciales de derrumbe. **§1926.652(a)(1)(i)-(ii)**

130. Los sistemas de protección deberán tener la capacidad de resistir, sin excepción, todas las cargas que se aplicarán o transmitirán, o las que se suponga de forma razonable que se podrían aplicar o transmitir al sistema. **§1926.652(a)(2)**

131. Los empleados deberán estar protegidos contra los materiales excavados, otros materiales o equipo de otro tipo, que puedan implicar un riesgo al caer o rodar hacia las excavaciones. Se debe de suministrar protección colocando y manteniendo dichos materiales o equipos por lo menos a 2 pies (0.6 metros) del borde de las excavaciones, o mediante el uso de dispositivos sujetadores que puedan evitar que los materiales o el equipo caigan o rueden hacia las excavaciones o si es necesario, mediante una combinación de ambas opciones. **§1926.651(j)(2)**

132. La inspección diaria de las excavaciones, las áreas adyacentes, y los sistemas de protección, deberá ser realizada por una *persona capacitada* en busca de pruebas que indiquen que una situación puede dar como resultado posibles derrumbes, indicaciones de fallos en los sistemas de protección, atmósferas peligrosas, u otras condiciones que impliquen riesgo. Una persona capacitada deberá dirigir la inspección antes del comienzo del trabajo y según sea necesario durante el turno. También se realizarán inspecciones después de cualquier tormenta o cualquier otro hecho que aumente la posibilidad de que se produzcan situaciones de riesgo. Estas inspecciones sólo son necesarias si se puede preveer de forma razonable que el empleado pueda estar expuesto a alguna situación de riesgo. **§1926.651(k)(1)**

133. Si una *persona competente* detecta alguna evidencia que indique que una situación puede dar como resultado un posible derrumbe, indicaciones de posibles fallos en los sistemas de protección, atmósferas peligrosas, u otra condición que implique un riesgo, los empleados que estén expuestos deben de abandonar el área de peligro hasta que se tomen las precauciones necesarias para garantizar su seguridad. **§1926.651(k)(2)**

134. Se deben de colocar escaleras, escaleras de mano, rampas, u otro medio seguro de salida en las excavaciones de zanjas que tengan 4 pies (1.2 metros) o más de profundidad de modo que los empleados no deban realizar un recorrido lateral de más de 25 pies (7.6 metros). **§1926.651(c)(2)**

135. Salidas

136. Las salidas deben de estar libres de todo tipo de obstáculo, para poder ser utilizadas inmediatamente en caso de incendio o emergencia. **§1926.34(c)**

137. Explosivos y Voladuras

138. Sólo se debe de permitir que las personas autorizadas y calificadas manejen y utilicen explosivos. **§1926.900(a)**

139. Los explosivos y materiales afines se deben de guardar en instalaciones aprobadas estipuladas conforme a las disposiciones pertinentes de las normas de Bureau of Alcohol, Tobacco and Firearms, que aparecen en 27 CFR Parte 55, Commerce in Explosives. (Vea Subparte K.) **§1926.904(a)**

140. No se deberá permitir fumar ni encender fuego dentro de una distancia de 50 pies (15.2 metros) de los depósitos de almacenamiento de explosivos y detonadores. **§1926.904(c)**

141. Procedimintos que permitan seguridad y eficiencia deben de establecerse antes de comenzar con la carga. **§1926.905(a)**

142. ## Protección de los Ojos y el Rostro

(Vea También Equipo de Protección Personal)

143. Se debe de suministrar protección para los ojos y el rostro cuando las máquinas o las operaciones realizadas puedan provocar lesiones en los ojos o el rostro. **§1926.102(a)(1)**

144. El equipo de protección para los ojos y el rostro deberá cumplir con los requisitos de ANSI Z87.1-1968, *Practice for Occupational and Educational Eye and Face Protection.* **§1926.102(a)(2)**

145. Los empleados encargados de realizar operaciones de soldadura deben de usar lentes o placas de filtro que tengan por lo menos la graduación de oscurecimiento adecuada tal como se indica en la Tabla E-2. **§1926.102(b)(1)**

146.

Tabla E-2 - Números de Sombra para Lentes de Filtros de Protección para los Ojos y el Rostro, para la Protección contra la Energía Radiante

Operación de soldadura	Número de sombra
Electrodos de 1/16, 3/32, 1/8, 5/32 de pulgada de diámetro para soldadura de arco metálico con protección	10
Electrodos de 1/16, 3/32, 1/8, 5/32 de pulgada de diámetro para soldadura de arco con protección gaseosa (no ferrosa)	11
Electrodos de 1/16, 3/32, 1/8, 5/32 de pulgada de diámetro para soldadura de arco con protección gaseosa (ferrosa)	12
Electrodos de 3/16, 7/32, 1/4 de pulgada de diámetro para soldadura de arco metálico con protección	12
Electrodos de 5/16, 3/8 de pulgada de diámetro	14
Soldadura atómica de hidrógeno	10-14
Soldadura por arco con electrodo de carbón	14
Soldadura	2
Soldadura con soplete	3 o 4
Corte ligero, hasta 1 pulgada	3 o 4
Corte medio, 1 pulgada a 6 pulgadas	4 o 5
Corte pesado, más de 6 pulgadas	5 o 6
Soldadura con gas (ligera), hasta 1/8 de pulgada	4 o 5
Soldadura con gas (media), 1/8 de pulgada a 1/2 pulgada	5 o 6
Soldadura con gas (pesada), más de 1/2 pulgada	6 o 8

147. Los empleados que estén expuestos a rayos de láser deberán recibir gafas protectoras contra láser adecuadas que los protejan de la longitud de onda específica del láser y de la densidad óptica adecuada para la energía involucrada. **§1926.102(b)(2)**

148. Protección contra Caídas

149. Los empleadores deben de evaluar el lugar de trabajo para determinar si la superficie de tránsito/de trabajo sobre la que deben de realizar sus tareas los empleados cuenta con la solidez y la integridad estructural necesarias para sostener el peso de los trabajadores de forma segura. Los empleados no podrán comenzar a trabajar en dichas superficies hasta que se haya determinado que las superficies cuentan con la solidez y la integridad estructural necesarias como para sostener a los trabajadores. **§1926.501(a)(2)**

150. En caso de que los empleados estén expuestos a sufrir caídas desde una altura de 6 pies (1.8 metros) o más desde un lado o extremo que no esté protegido, el empleador debe de seleccionar un sistema de barandales, de redes de seguridad, o de protección personal contra caídas para proteger al trabajador. **§1926.501(b)(1)**

151. El sistema personal de protección contra caídas está compuesto por un anclaje, conectores, arnés para el cuerpo y puede incluir un amarre, un dispositivo de desaceleración, un cable salvavidas, o una combinación adecuada de todos estos elementos. A partir del 1 de enero de 1998, se prohíbe el uso de cinturones corporales para la protección contra caídas. **§§1926.500(b) y 1926.502(d)**

152. Cada empleado que se encuentre en el área de un mecanismo de elevación debe de estar protegido contra caídas desde una altura de 6 pies (1.8 metros) o mayor, mediante sistemas de barandales o sistemas personales de protección contra caídas. Si los sistemas de barandales (o compuertas o barandas de cadena) o partes de ellos se deben de eliminar para facilitar las operaciones de elevación, ejemplo: durante el descenso de materiales, y un trabajador debe de inclinarse a través de la abertura de acceso o asomarse por el extremo de la abertura de acceso para recibir o guiar el equipo y los materiales, dicho empleado debe de estar protegido mediante un sistema personal de protección contra caídas. **§1926.501(b)(3)**

153. Se deben de colocar sistemas personales de protección contra caídas, tapas, o sistemas de barandales alrededor de los agujeros (incluyendo claraboyas) mayores de 6 pies (1.8 metros) por encima de los niveles inferiores. **§1926.501(b)(4)**

154. Cada empleado que se encuentre en el borde de una excavación de 6 pies (1.8 metros) o más de profundidad, deberá estar protegido contra las caídas mediante sistemas de barandales, vallas, barreras, o tapas. Si hay pasarelas para permitir que los empleados crucen por encima de las excavaciones, es necesario que las pasarelas tengan barandales si se encuentran a 6 pies (1.8 metros) o más por encima de la excavación. **§1926.501(b)(7)**

155. Los empleados que usen rampas, pasarelas y otros medios de paso deberán estar protegidos contra caídas desde una altura de 6 pies (1.8 metros) o más, mediante sistemas de barandales. **§1926.501(b)(6)**

156. Todos los empleados que realicen colocación de ladrillos en lo alto y otras tareas relacionadas a una altura de 6 pies (1.8 metros) o mayor por encima de los niveles inferiores deberán estar protegidos mediante sistemas de barandales, sistemas de redes de seguridad, o sistemas personales de protección contra caídas, o deben de trabajar en una zona de acceso controlado. Todos los empleados que deban de inclinarse más de 10 pulgadas (25.4 centímetros) por debajo del nivel de una superficie de tránsito/de trabajo en la que estén trabajando deberán estar protegidos mediante un sistema de barandales, de redes de seguridad o sistema personal de protección contra caídas. **§1926.501(b)(9)**

157. Todos los empleados que estén involucrados en actividades de techado sobre techos con poca pendiente cuyos lados no estén protegidos y cuyos extremos estén ubicados a una altura de 6 pies (1.8 metros) o mayor por encima de los niveles inferiores, deberán estar protegidos contra caídas mediante barandales, redes de seguridad, o sistemas personales de protección contra caídas o una combinación de un

158. • Sistema de línea de advertencia y sistema de barandales,

159. • Sistema de línea de advertencia y sistema de redes de seguridad,

160. • Sistema de línea de advertencia y sistema personal de protección contra caídas, o

161. • Sistema de línea de advertencia y sistema de control de seguridad. **§1926.501(b)(10)**

162. En los techos con poca pendiente de 50 pies (15.2 metros) o menos de ancho, se permite el uso del sistema de control de seguridad sin sistema de línea de advertencia. **§1926.501(b)(10)**

163. Todos los empleados que estén sobre un techo empinado cuyos lados no estén protegidos y cuyos bordes estén a 6 pies (1.8 metros) o más por encima de los niveles inferiores, deberán estar protegidos mediante sistemas de barandales con tablones de pie, sistemas de redes de seguridad, o sistemas personales de protección contra caídas. **§1926.501(b)(11)**

164. Protección contra Incendios

165. Se debe de cumplir un programa para combatir incendios a lo largo de todas las fases de los trabajos de construcción y demolición. Este programa debe de tomar las medidas necesarias para que se pueda disponer sin demora de equipos eficaces para combatir incendios, y deberá estar diseñado para hacer frente a todas las situaciones en las que haya peligro de incendio cuando se produzcan. **§1926.150(a)(1)**

166. El equipo para combatir incendios debe de estar ubicado en un lugar visible y de fácil acceso en todo momento, se deberá inspeccionar de forma periódica, y se deberá mantener en buenas condiciones de funcionamiento. **§1926.150(a)(2)-(4)**

167. Debe de haber un extinguidor de incendios, cuya clasificación no sea inferior a 2A, (los sustitutos aceptables son una manguera de jardín de 1/2 pulgada de diámetro de no más de 100 pies que pueda descargar como mínimo 5 galones por minuto o un barril de 55 galones de agua con dos baldes para apagar incendios) por cada 3,000 pies cuadrados (270 metros cuadrados), o una fracción mayor del área protegida del edificio. La distancia de desplazamiento desde cualquier punto del área protegida hasta el extinguidor de incendios más cercano no debe de superar los 100 pies (30.5 metros). **§1926.150(c)(1)(i)-(iii)**

168. El empleador deberá establecer un sistema de alarma en el lugar de trabajo para que los empleados y el departamento de bomberos local puedan ser alertados en caso de emergencia. **§1926.150(e)(1)**

169. Señalizadores

170. Los señalizadores, la señalización por parte de estos empleados, y las prendas utilizadas por estos empleados deberán seguir las reglas de OSHA que incorporaron como referencia *Manual on Uniform Traffic Control Devices*, Parte 6 del Department of Transportation. **§1926.201(a)**

171. Líquidos Inflamables y Combustibles

172. Se deben utilizar únicamente recipientes y depósitos portátiles aprobados para almacenar y manipular líquidos inflamables. Se deben utilizar botes de seguridad aprobadas o recipientes aprobados por el Departamento de Transporte para manejar y usar líquidos inflamables en cantidades de 5 galones o menos, salvo en el caso de materiales líquidos inflamables altamente viscosos (muy difíciles de verter), que se pueden usar y manejar en los recipientes originales. Para las cantidades de un galón o menos, se puede usar el recipiente original para almacenar, usar y manejar líquidos inflamables. **§1926.152(a)(1)**

173. No se deben almacenar más de 25 galones (94.7 litros) de líquidos inflamables en una habitación si no están dentro de un armario de almacenamiento aprobado. No puede haber más de tres armarios de almacenamiento ubicados en una sola área de almacenamiento. **§1926.152(b)(1)-(3)**

174. Las habitaciones internas para almacenamiento de líquidos inflamables deberán estar construidas con materiales resistentes al fuego, tener puertas a prueba de incendios de cierre automático en todas las aberturas, soleras de 4 pulgadas (10 centímetros) o pisos hundidos, sistema de ventilación que ofrezca por lo menos seis cambios de aire dentro de la habitación por hora, y cableado y equipo eléctrico aprobado para ubicaciones de Clase 1, División 1. **§1926.152(b)(4)**

175. El almacenamiento en contenedores fuera de los edificios no debe de superar los 1,100 galones (4,169 litros) en una sola pila o área. El área de almacenamiento deberá tener un . declive para desviar los posibles derrames fuera de los edificios u otras exposiciones, o deberá estar rodeada por un reborde o dique. Las áreas de almacenamiento deben de estar ubicadas a una distancia de por lo menos 20 pies (6 metros) de cualquier edificio y deben de estar libres de malezas, escombros, u otros materiales combustibles que no sean necesarios para el almacenamiento. **§1926.152(c)(1), (3)-(5)**

176. Los líquidos inflamables de Categoría 1, 2 ó 3 se deben guardar en recipientes cerrados cuando no estén en uso. **§1926.152(f)(1)**

177. Se deben de colocar señales claramente visibles y legibles que indiquen que está prohibido fumar en las áreas de servicio y reabastecimiento de combustible. **§1926.152(g)(9)**

178. Protección para los Pies **(Vea Equipo de Protección Personal)**

179. Montacargas **(Vea Vehículos Industriales Motorizados (Montacargas))**

180. Gases, Vapores, Humos, Polvos, y Neblinas

181. Se deberá evitar la exposición a gases, vapores, humos, polvos, y neblinas tóxicos a una concentración superior a las especificadas en *Threshold Limit Values of Airborne Contaminants* de 1970 de American Conference of Governmental Industrial Hygienists (ACGIH). (ACGIH, 1330 Kemper Meadow Drive, Cincinnati, OH 45240-1634; (513) 742-2020.) **§1926.55(a)**

182. Se deben de implementar controles administrativos o de ingeniería siempre que sea posible para cumplir con los valores límite de umbral. **§1926.55(b)**

183. Cuando no es posible alcanzar el cumplimiento total a través de controles de ingeniería y administrativos, se debe de utilizar equipo protector u otras medidas de protección para que la exposición de los empleados a los contaminantes en el aire se mantenga dentro de los límites prescritos. Cualquier equipo y medidas técnicas que se utilicen para este propósito primero deben de ser aprobados para cada uso en particular por un higienista industrial capacitado u otra persona técnicamente calificada. Siempre que se utilicen respiradores, deberán cumplir con §1926.103. **§1926.55(b)**

184. Cláusula General de Obligaciones

185. La sección 5(a)(1) de la Ley William Steiger de Seguridad y Salud Ocupacionales de 1970 se conoce como "Cláusula General de Obligaciones." Se trata de una norma general para citaciones en el caso de que la OSHA identifique condiciones inseguras para las cuales no existe ninguna disposición.

186. Las condiciones o prácticas peligrosas que no se abarcan en una norma OSHA pueden estar incluidas en el Capítulo 5(a)(1) de *Occupational Safety and Health Act of 1970*, que establece que: "Cada empleador debe de proporcionar a cada uno de sus empleados un empleo y un lugar de trabajo libre de riesgos reconocidos que provoquen o pudieran provocar la muerte o severas lesiones físicas a sus empleados."

187. En la práctica, OSHA, la jurisprudencia, y la comisión de revisión han establecido que ante la presencia de los siguientes elementos, se puede emitir una citación de "cláusula general de obligaciones."

188. • El empleador no mantubo el lugar de trabajo libre de riesgos, a los cuales se vieron expuestos los empleados de dicho empleador.

189. • Se reconoció la existencia de un factor de riesgo. (Entre los ejemplos, se pueden incluir: a través de las actividades del personal de seguridad, los empleados, la organización, la organización comercial o la industria).

190. • El factor de riesgo causó o podría haber causado la muerte o serias lesiones físicas.

191. • Existía un método viable y útil que permitía corregir el factor de riesgo.

192. Amolado

193. Todos los amoladores abrasivos de banco con rueda y de pie deben de contar con protecciones de seguridad que cubran los extremos del uso y los resaltes de las tuercas y las bridas, lo suficientemente sólidas como para soportar los efectos de la rotura de la rueda. **§1926.303(b)(1) y (c)(1)**

194. Se deberá utilizar un soporte de trabajo ajustable de construcción rígida en el caso de amoladores montados sobre banco o sobre el piso y el soporte de trabajo debe de estar ajustado para que quede un espacio libre que no debe de superar 1/8-pulgada (0.3 centímetros) entre el soporte de trabajo y la superficie de la rueda. **§1926.303(c)(2)**

195. Se deben de inspeccionar cuidadosamente todas las ruedas abrasivas y probar los anillos antes de realizar el montaje, para asegurarse de que no tengan rajaduras u otros defectos. **§1926.303(c)(7)**

196. Las herramientas con ruedas abrasivas portátiles deberán tener protecciones de seguridad, salvo cuando las ruedas tengan 2 pulgadas (5 centímetros) o menos de diámetro o cuando la rueda se encuentre totalmente introducida en el punto de trabajo. **§1926.303(c)(3) y (4)**

197. ## Herramientas Manuales (Vea También Herramientas — Manuales y Eléctricas)

198. Los empleadores no deberán proveer ni deberán permitir el uso de herramientas de mano inseguras, incluyendo herramientas que puedan ser suministradas por los empleados o empleadores. Todas las herramientas de mano deben de mantenerse en buenas condiciones. **§§1926.300(a) y 1926.301(a)**

199. No se deben de utilizar llaves de tuerca cuando las mandíbulas estén torcidas hasta el punto que se resbalen. Las herramientas de impacto no deben de tener el punto de impacto deformado. Los mangos de madera de las herramientas no deben de tener astillas ni rajaduras y se deben de mantener bien pegados a la herramienta. **§1926.301(b)-(d)**

200. Las herramientas accionadas por medio de energía eléctrica deben de tener aislante doble aprobado o estar debidamente conectadas a tierra de acuerdo con lo establecido en el Subparte K de la norma. **§1926.302(a)(1)**

201. ## Comunicación de Riesgos

202. Los empleadores deben desarrollar, implementar y mantener en el lugar de trabajo un programa de comunicación de riesgos por escrito para los lugares de trabajo. Los empleadores deben informar a sus empleados acerca de la disponibilidad de este programa, incluyendo la(s) lista(s) requerida(s) de productos químicos peligrosos y las hojas de datos de seguridad de los materiales requeridas. **§1910.1200(e)(1) y (4) son aplicables a la construcción según §1926.59**

203. El empleador debe de garantizar que cada recipiente o depósito de productos químicos peligrosos en el lugar de trabajo tenga rótulos, etiquetas, o marcas de identificación del (de los) producto(s) químico(s) peligroso(s) que contienen; y deben de presentar advertencias de peligro que sean adecuadas para la protección de los empleados. **§1910.1200(e)(2) y (f)(1) son aplicables a la construcción según §1926.59**

204. Los fabricantes e importadores de productos químicos deben obtener o desarrollar una hoja de datos de seguridad de materiales para cada uno de los productos químicos peligrosos que produzcan o importen. Los empleadores deben tener una hoja de datos de seguridad de materiales para cada producto químico peligroso que utilicen. **§1910.1200 son aplicables a la construcción según §1926.59**

205. Los empleadores deben brindar a los empleados información y capacitación con respecto a los productos químicos peligrosos presentes en el área de trabajo en el momento de comenzar a trabajar y siempre que se introduzca un nuevo peligro en el área de trabajo. Los empleadores también deben brindar información a los empleados sobre cualquier operación que se deberá realizar en el área de trabajo en la que estén presentes productos químicos peligrosos, así como sobre la ubicación y disponibilidad del programa de comunicación de riesgos por escrito, incluyendo la(s) lista(s) requerida(s) de productos químicos peligrosos y las hojas de datos de seguridad de materiales que se requieren según la norma. **§1910.1200(h)(1) y (2)(i)-(iii) son aplicables a la construcción según §1926.59**

206. Los empleadores que produzcan, utilicen, o almacenen productos químicos peligrosos en lugares de trabajo de múltiples empleadores deben de garantizar de forma adicional que el programa de comunicación de riesgos incluya los métodos que el empleador utilizará para proporcionar al (a los) otro(s) empleador(es) una copia de la hoja de datos de seguridad de materiales para productos químicos peligrosos a los que los empleados del (de los) otro(s) empleador(es) pudieran estar expuestos mientras trabajan; los métodos que el empleador utilizará para informar al (a los) otro(s) empleador(es) sobre cualquier medida de precaución para la protección de los empleados; y los métodos que el empleador utilizará para informar al (a los) otro(s) empleador(es) sobre el sistema de rotulación utilizado en el lugar de trabajo. **§1910.1200(e)(2) es aplicable a la construcción según §1926.59**

207. **Energía Peligrosa** . **(Vea Traba y Rotulado de Circuitos)**

208. **Operaciones de Manejo de Desechos Peligrosos**

209. Los empleadores deben de desarrollar por escrito un programa de seguridad y salud para los empleados involucrados en operaciones de manejo de desechos peligrosos. Como mínimo, el programa deberá incluir un plan de trabajo completo, procedimientos de operación estándar, un plan de seguridad y salud específico para el emplazamiento (en el que no es necesario repetir los procedimientos de operación estándar), el programa de capacitación, y el programa de control médico. **§1926.65(b)(1)**

210. También se debe de desarrollar un programa de control del emplazamiento que, como mínimo, deberá incluir un mapa, las zonas de trabajo, los sistemas de compañeros, las comunicaciones del emplazamiento — incluyendo los medios de advertencia ante emergencias — los procedimientos de operación estándar o las prácticas laborales seguras, y la identificación del centro médico asistencial más cercano. **§1926.65(d)(3)**

211. Se debe de brindar capacitación a todos los empleados del emplazamiento, los supervisores, y los gerentes que están expuestos a peligros para la salud o para la seguridad. **§1926.65(e)**

212. **Protección para la Cabeza.** **(Vea También Equipo de Protección Personal)**

213. Se deben de usar equipos de protección para la cabeza (cascos) en aquellas áreas donde exista el riesgo posible de sufrir lesiones en la cabeza debido a golpes, objetos que caen o vuelan por el aire, o sacudidas eléctricas y quemaduras. **§1926.100(a)**

214. Los cascos para protección contra golpes y penetración de objetos que caen y vuelan por el aire deberán cumplir con los requisitos de ANSI Z89.1-1969. **§1926.100(b)**

215. El empleador debe asegurar que el equipo para proteger la cabeza suministrado a cada empleado expuesto a quemaduras y sacudidas eléctricas de energía de alto voltaje también satisfaga las especificaciones establecidas en la Sección 9.7 ("Aislamiento eléctrico") de cualquiera de las normas consensuadas identificadas en el párrafo (b)(1) de la presente sección. **§1926.100(b)(2)**

216. **Protección para los Oídos.** **(Vea También Equipo de Protección Personal)**

217. Se deben de aplicar controles de ingeniería o administrativos viables para proteger a los empleados contra los niveles excesivos de ruido que sean superiores a los que se indican en la Tabla D-2. **§1926.52(b)**

218. Cuando los controles de ingeniería o administrativos no pueden reducir los niveles de ruido a los límites de la Tabla D-2, se deben de suministrar y utilizar dispositivos de protección auditiva. **§§1926.52(b) y 1926.101(a)**

219. En todos los casos, cuando los niveles de ruido sean superiores a los valores que se indican en la Tabla D-2, se deberá poner en práctica un programa de conservación de la audición continuo y eficaz. **§1926.52(d)(1)**

220. Un programa de conservación de la audición en construcción debe de incluir los siguientes elementos:
221. • Monitorear a los empleados expuestos al ruido.
222. • Uso de controles de ingeniería, prácticas laborales, controles administrativos, y equipo de protección personal,
223. • Proveer protectores auditivos adecuados a cada uno de los empleados que sufren un exceso de exposición al ruido,
224. • Capacitar a los empleados con respecto a los efectos del ruido y las medidas de protección,
225. • Explicar los procedimientos para evitar que la pérdida de la audición empeore, y
226. • Mantener registros. **§§1926.21(b)(2), 1926.52, y 1926.101**

227.
Tabla D-2 – Exposiciones Admisibles al Ruido

Duración por día, horas	Respuesta lenta del nivel acústico expresada en dBA
8	90
6	92
4	95
3	97
2	100
1 1/2	102
1	105
1/2	110
1/4 o inferior	115

§1926.52(d)(1)

228. La exposición a ruidos de impulso o de impacto no debe de ser superior a un nivel de presión acústica máxima de 140 dB. **§1926.52(e)**

229. El algodón común no es un dispositivo de protección aceptable. **§1926.101(c)**

230. Dispositivos de Calefacción, Temporarios

231. Cuando se utilizan dispositivos de calefacción, deberá ser necesario suministrar aire fresco en cantidades suficientes para mantener la salud y seguridad de los trabajadores. **§1926.154(a)(1)**

232. Se prohíbe el uso de calentones que utilicen combustible sólido en edificios y andamios. **§1926.154(d)**

233. Mecanismos de Elevación, para Material y Personal (Vea También Grúas y Grúas de Maniobra)

234. El empleador deberá acatar las especificaciones y limitaciones establecidas por el fabricante. **§1926.552(a)(1)**

235. Las capacidades de carga máxima admisible, las velocidades de funcionamiento recomendadas, y las advertencias o instrucciones especiales con respecto a los riesgos se deben de colocar en vehículos y plataformas. **§1926.552(a)(2)**

236. Las entradas a los mecanismos de elevación para materiales deben de estar protegidas mediante compuertas o barras sólidas que cubran el ancho completo de la entrada que estén pintadas con colores contrastantes en franjas diagonales, por ejemplo, franjas negras y amarillas. **§1926.552(b)(2)**

237. Las puertas o compuertas de los mecanismos de elevación del montacargas para personal no deben de tener menos de 6 pies 6 pulgadas (1.98 metros) de alto y deberán estar protegidas mediante trabas mecánicas que no se puedan abrir desde el punto de acceso al montacargas y a las que sólo tengan acceso las personas que están en el vehículo. **§1926.552(c)(4)**

238. Debe de haber cubiertas protectoras superiores colocadas en el techo de la jaula o plataforma del mecanismo de elevación. **§1926.552(b)(3) y (c)(7)**

239. Todos los mecanismos de elevación para materiales deben de ajustarse a los requisitos establecidos en ANSI A10.5-1969, *Safety Requirements for Material Hoists.* **§1926.552(b)(8)**

240. Ganchos (Vea Aparejos)

241. Mantenimiento

242. El encofrado (formas para concreto) y los rezagos de madera que tengan clavos que sobresalgan y cualquier otro tipo de escombros deben de eliminarse de las áreas de trabajo. **§1926.25(a)**

243. Los restos y escombros combustibles se deben de eliminar periódicamente. **§1926.25(b)**

244. Se deben de suministrar recipientes para reunir y separar todos los desechos. Los recipientes que se utilizan para guardar sustancias inflamables o peligrosas deberán tener tapas. **§1926.25(c)**

245. Se deberán desechar los desperdicios a intervalos frecuentes. **§1926.25(c)**

246. Iluminación

247. En las áreas de construcción, rampas, pasadizos, corredores, oficinas, talleres, y áreas de almacenamiento, se debe de contar con iluminación que no sea inferior a las intensidades de iluminación mínimas cuya lista se suministra en la Tabla D-3.

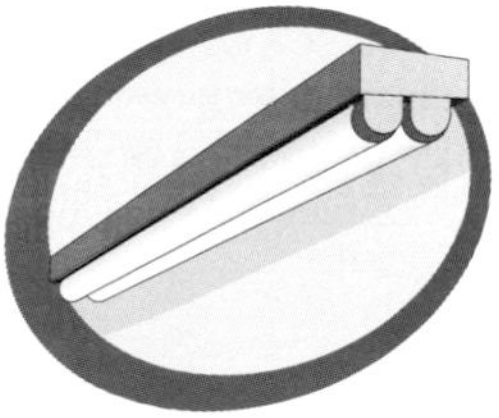

248.

Tabla D-3 – Intensidades de Iluminación Mínimas en Bujías-pie

Bujías-pie	Area de operación
5	Iluminación del área general de construcción
3	Áreas generales de construcción, colocación de concreto (hormigón), áreas de excavación y desechos, vías de acceso, áreas de almacenamiento activo, plataformas de carga, reabastecimiento de combustible, y áreas de mantenimiento de campo
5	Internas: bodegas, corredores, vestíbulos, y salidas
5	Túneles, pozos, y áreas de trabajo subterráneas en general (Excepción: se requiere una iluminación mínima de 10 bujías-pie a la entrada del túnel y del pozo durante las operaciones de perforación, escombrado, y graduación. Los cascos con luces aprobados por Bureau of Mines se pueden utilizar en la entrada del túnel)
10	Planta y talleres de construcción general (por ej.: plantas de procesamiento por lotes, plantas de tamizado, salas para equipos mecánicos y eléctricos, talleres de carpintería, salas de aparejos y habitaciones para almacenamiento activo, barracas o lugares de alojamiento, vestuarios, comedores, escusados, y obradores internos)
30	Salas de primeros auxilios, enfermerías, y oficinas

§1926.56(a)

249. ## Junteras

250. La protección de la juntera se debe de ajustar de forma automática para cubrir la parte no utilizada de la cabeza y la sección de la cabeza en el lado en que se trabaja y la parte posterior de la verja o jaula. La reja de protección de la juntera debe de permanecer en contacto con el material en todo momento. **§1926.304(f), incorporados por referencia de ANSI 01.1-1961, Section 4.3.2**

251. ## Escaleras de Mano

252. Las escaleras de mano portátiles o fijas que posean defectos estructurales — como, por ejemplo, peldaños, tablillas, o escalones rotos o faltantes; travesaños rotos o partidos; o componentes oxidados — se deben de retirar de servicio colocando inmediatamente el rótulo "DO NOT USE" (no usar) o colocándoles una marca que indique que están defectuosos, o se deben de bloquear, por ejemplo, clavándoles una tabla de madera terciada que abarque varios peldaños. Las reparaciones deben de restaurar la escalera de mano a su criterio original de diseño. **§1926.1053(b)(16), (17)(i)-(iii), y (18)**

253. Las escaleras de mano portátiles que no se sostienen por sí solas se deben de colocar sobre una base sólida, deben de tener acceso libre en la parte superior e inferior, y estar colocadas en un ángulo tal que la distancia horizontal desde el soporte de la parte superior hasta el pie de la escalera sea aproximadamente un cuarto de la longitud útil de la escalera. Las escaleras de mano portátiles que se utilizan para tener acceso a una superficie o planta superior deben de extenderse a una distancia mínima de 3 pies (0.9 metros) por sobre la superficie o planta superior, o si esto no fuera posible, deben de tener travesaños de donde asirse y estar bien afirmadas a fin de que no se muevan mientras están en uso. **§1926.1053(b)(1) y (5)(i)**

254. Si se utilizan en lugares donde el trabajador o la escalera pueda entrar en contacto con conductores o equipos eléctricos, las escaleras de mano deben de estar equipadas con barandales laterales aislantes. **§1926.1053(b)(12)**

Escaleras de Mano

255. Las escaleras de mano hechas a medida para una tarea en particular deben de construirse para cumplir con el uso deseado. Los espacios entre los peldaños deberán ser uniformes y la distancia entre ellos no debe de ser menor que 10 pulgadas (25.4 centímetros) ni mayor que 14 pulgadas (35.5 centímetros). **§1926.1053(a)(3)(I)**

256. Debe de haber una escalera de mano (o escalera) en todos los puntos de acceso al trabajo donde haya una discontinuidad en la elevación de 19 pulgadas (48.2 centímetros) o mayor salvo cuando exista una rampa, senda, terraplén, o mecanismo de elevación personal adecuado para brindar acceso seguro a todos los lugares elevados. **§1926.1051(a)**

257. Las escaleras de madera hechas a medida para una tarea a las que se hayan agregado barandales laterales empalmadas, se deben de utilizar de tal modo que formen un ángulo donde la distancia horizontal sea un octavo de la longitud útil de la escalera.

258. • La inclinación de las escaleras fijas no debe de ser mayor que 90 grados desde la posición horizontal, medida desde la parte trasera de la escalera.

259. • Las escaleras de mano sólo se deben de usar sobre superficies estables y niveladas a menos que estén bien afirmadas para evitar movimientos accidentales.

260. • No se deben de utilizar escaleras de mano sobre superficies resbalosas a menos que estén bien afirmadas o que tengan patas antiderrapantes para evitar movimientos accidentales. El hecho de que se usen patas antiderrapantes no debe de ser motivo para dejar a un lado el cuidado que se debe de tener al colocar, amarrar, o sostener una escalera de mano sobre una superficie resbalosa. **§1926.1053(b)(5)(ii)-(7)**

261. Los empleadores tienen que ofrecer un programa de capacitación para cada empleado que utilice escaleras de mano y escaleras. El programa debe de instruir a cada empleado para que reconozca los riesgos relacionados con las escaleras de mano y escaleras y que utilice los procedimientos adecuados para minimizar estos peligros. Por ejemplo: los empleadores deberán garantizar que cada empleado sea entrenado por una persona capacitada en las siguientes áreas, según sea pertinente:

262. • La naturaleza de los riesgos de caídas en el área de trabajo;

263. • Los procedimientos correctos para instalar, mantener, y desmontar los sistemas de protección contra caídas que se deben de utilizar;

264. • La construcción, el uso, la colocación, y el cuidado correcto durante el manejo de todas las escaleras y escaleras de mano; y

265. • Las capacidades de carga máximas especificadas de las escaleras de mano que se utilizan.

266. Además, se debe de proporcionar nueva capacitación para cada empleado, según sea necesario, de modo que el empleado mantenga el entendimiento y el conocimiento, adquiridos mediante el cumplimiento de la norma. **§1926.1060(a) y (b)**

267. Equipos Láser

268. Unicamente los empleados calificados y capacitados deberán ser asignados para la instalación, el ajuste, y la operación de equipos de láser. **§1926.54(a)**

269. Los empleados deben de usar una protección adecuada para la vista (antiláser) cuando se trabaje en áreas en las que haya posible exposición a luces láser directas o reflejadas de más de 0.005 vatios (5 milivatios). **§1926.54(c)**

270. Se deben de utilizar apagadores o tapas de haz, o se deberá desconectar el láser, cuando la transmisión de láser no sea realmente necesaria. Si se deja el láser sin supervisión durante un período de tiempo sustancial — por ejemplo, durante la hora del almuerzo, durante la noche, o durante los cambios de turno — el láser debe de apagarse. **§1926.54(e)**

271. Los empleados no deben de exponerse a intensidades de luz que sean superiores a las siguientes: observación directa — 1 microvatio por centímetro cuadrado; observación incidental — 1 milivatio por centímetro cuadrado; luz reflejada difusa — 2-1/2 vatios por centímetro cuadrado. **§1926.54(j)(1)-(3)**

272. Los empleados no deben de exponerse a densidades de energía de microondas superiores a los 10 milivatios por centímetro cuadrado. **§1926.54(l)**

273. Plomo

274. Todo empleador que tenga un lugar de trabajo u operación abarcado por esta norma primero deberá determinar si existe la posibilidad de que un empleado se exponga al plomo a un nivel de acción de 30 microgramos por metro cúbico (30 $\mu g/m^3$) de aire o superior, calculado como promedio ponderado en el tiempo de 8 horas. **§1926.62(d)(1)**

275. El empleador debe de garantizar que ningún empleado esté expuesto a concentraciones de plomo superiores a 50 microgramos por centímetro cúbico (50 $\mu g/m^3$) de aire promedio durante un período de 8 horas (el límite de exposición admisible (PEL)). **§1926.62(c)(1)**

276. Siempre que se haya producido un cambio en el equipo, proceso, control, personal, o que se haya iniciado una nueva tarea que pueda dar como resultado una exposición superior al nivel PEL, el empleador debe de realizar un chequeo adicional. **§1926.62(d)(7)**

277. Se debe de brindar capacitación de acuerdo con lo establecido en la Norma de Comunicación de Riesgos y los empleados que estén expuestos a un nivel de acción normal o superior deberán recibir capacitación adicional. **§1926.62(l)(1)**

278. Antes de comenzar a trabajar, cada empleador debe de establecer e implementar un programa de cumplimento por escrito. **§1926.62(e)(2)**

279. Si, en algún momento, las concentraciones de plomo en el aire igualan o superan el nivel de acción, se deberá poner a disposición de cada empleado un examen médico inicial, que consiste en un muestreo y análisis de sangre antes de la asignación inicial a esa área. **§1926.62 Apéndice B, VIII, párrafo (j)**

280. Levantamiento de Losas (Método de Construcción "Lift-Slab")

281. Las operaciones de construcción con levantamiento de losas deberán ser diseñadas y planificadas por un ingeniero profesional registrado que tenga experiencia en este tipo de construcción. El empleador deberá implementar dichos planos y diseños y deberá incluir instrucciones y diagramas detallados que indiquen el método de construcción prescrito. **§1926.705(a)**

282. El equipo de elevación deberá poder sostener por lo menos dos veces y media la carga que se levanta durante las operaciones de elevación. Tampoco se debe de sobrecargar el equipo de elevación. **§1926.705(d)**

283. Durante la construcción, ningún empleado, salvo aquellos que sean absolutamente necesarios para la operación de elevación, deberá permanecer en el edificio o la estructura mientras se lleven a cabo las operaciones de elevación, a menos que el edificio o la estructura se hayan reforzado lo suficiente como para garantizar su integridad. **§1926.705(k)(1)**

284. El equipo deberá estar diseñado e instalado para prevenir el deslizamiento; de lo contrario, el empleador debe de tomar otras medidas como, por ejemplo, dispositivos de traba o bloqueo, lo que brindará una conexión positiva entre las barras de elevación y los accesorios y evitará que durante las operaciones de elevación los componentes se desprendan. **§1926.705(p)**

285. Gas Licuado de Petróleo

286. Cada sistema deberá estar compuesto por contenedores, válvulas, conectores, juntas de válvulas múltiples de distribución, y reguladores del tipo aprobado. **§1926.153(a)(1)**

287. Cada contenedor y vaporizador debe de contar con una o más válvulas o dispositivos de alivio aprobados. **§1926.153(d)(1)**

288. Los contenedores se deben de colocar en posición vertical sobre bases sólidas o de lo contrario se deben de asegurar firmemente. **§1926.153(g) y (h)(11)**

289. Los calentadores portátiles deben de estar equipados con un dispositivo automático aprobado para interrumpir el flujo de gas en caso de que la llama se apague. **§1926.153(h)(8)**

290. Todos los cilindros deben de estar equipados con una válvula de exceso de flujo para minimizar el flujo de gas en caso de que la tubería del combustible se dañe. **§1926.153(i)(2)**

291. Se prohíbe almacenar gas licuado de petróleo dentro de los edificios. **§1926.153(j)**

292. Las instalaciones para almacenamiento deben de tener por lo menos un extinguidor de incendios portátil aprobado cuya clasificación no sea inferior a 20-B:C. **§1926.153(l)**

293. Traba y Rotulado de Circuitos

294. Se deberán rotular los controles que se deben de desactivar durante el trabajo en equipos o circuitos con o sin energía. **§1926.417(a)**

295. El equipo o los circuitos que no tengan energía deben de anularse y se deberán colocar rótulos en todos los puntos en los que el equipo o los circuitos se puedan energizar. **§1926.417(b)**

296. Se deben de colocar rótulos para identificar claramente el equipo o los circuitos con los que se trabaja. **§1926.417(c)**

297. Equipo Elevador de Materiales **(Vea Grúas y Grúas de Maniobra; Mecanismos de Elevación, para Material y Personal; Aparejos)**

298. Servicios Médicos y Primeros Auxilios

299. El empleador debe de garantizar que haya personal médico disponible para brindar asesoramiento y consultas sobre cuestiones de salud ocupacional. **§1926.50(a)**

300. Cuando no hayan ninguna instalación sanitaria a la que se pueda tener acceso de modo razonable para el tratamiento de empleados que hayan sufrido lesiones, debe de haber una persona que esté capacitada para suministrar los primeros auxilios disponible en el lugar de trabajo. **§1926.50(c)**

301. Debería de haber equipo de primeros auxilios disponible cuando se requiera. **§1926.50(d)(1)**

302. En las áreas donde no exista el número de emergencias 911, los números de teléfono de los médicos, hospitales, o ambulancias deben de estar colocados en un lugar visible. **§1926.50(f)**

303. Vehículos Motorizados y Equipo Mecanizado

304. Todos los vehículos que están en uso se deben de revisar al comienzo de cada turno para garantizar que todas las piezas, equipos, y accesorios que afecten la seguridad de las operaciones estén en condiciones de funcionamiento adecuadas y no tengan defectos. Todos los defectos se deben de corregir antes de que el vehículo se ponga nuevamente en servicio. **§1926.601(b)(14)**

305. Ningún empleador deberá utilizar un vehículo motorizado, equipo de movimiento de tierra, o compactador si la vista posterior está obstruida a menos que:

306. • El vehículo tenga una alarma de señal de marcha atrás que se pueda distinguir del nivel de ruido circundante, o

307. • El vehículo dé marcha atrás sólo cuando un observador haga señales para indicar que no hay peligro en hacerlo. **§§1926.601(b)(4)(i)-(ii) y 1926.602(a)(9)(i)-(ii)**

308. La maquinaria pesada, el equipo, o las piezas que estén suspendidas o sostenidas en el aire deberán estar bien bloqueados para evitar que se caigan o desplacen antes de permitir que los empleados trabajen debajo o entre ellos. **§1926.600(a)(3)(i)**

309. Política de Citación de Empleadores Múltiples

310. Los empleadores no deben de crear condiciones que violen las normas de OSHA o que hagan que un lugar de trabajo sea inseguro. En los lugares de trabajo donde haya varios empleadores (en todos los sectores de la industria), se podrá citar a más de un empleador en caso de detectarse una condición de riesgo que viole las normas de la OSHA.

311. OSHA clasifica a los empleadores en una o más de cuatro categorías para determinar si se emitirá una citación: los empleadores que crean, que exponen, que corrigen y que controlan.

312. **El Empleador que Crea:** Se trata del empleador que provoca una condición de riesgo que viola una norma de OSHA. El empleador que crea una situación riesgosa puede ser citado aunque los únicos empleados que sean expuestos al riesgo trabajen para otros empleadores.

313. **El Empleador que Expone:** Se trata de un empleador que expone a sus propios empleados al riesgo.

314. Si el empleador que expone provocó la violación, puede ser citado por ella, considerándoselo como empleador que crea.

315. Si la violación fue creada por otro empleador, el empleador que expone puede ser citado si:
316. (1) sabía que existía la situación peligrosa o no tomó los recaudos razonables para detectar esta condición, y
317. (2) no tomó las medidas necesarias para proteger a sus empleados.

318. Si el empleador que expone tiene la autoridad para corregir el riesgo, debe de hacerlo.

319. Si el empleador que expone carece de autoridad para corregir el factor de riesgo, es pasible de citación en caso de que no tome cada una de las siguientes medidas:
320. (1) solicitar al empleador que crea y/o que controla que corrija la situación de riesgo
321. (2) informar a sus empleados acerca del riesgo, y
322. (3) tomar medidas alternativas razonables de protección.

323. Nota: Bajo ciertas circunstancias, el empleador es pasible de citación si no saca a los empleados del lugar de trabajo para evitar el riesgo.

324. **El Empleador que Corrige:** El empleador que es responsable de la corrección de un riesgo en el lugar de trabajo del empleador que expone, lo que normalmente ocurre cuando el empleador que corrige está instalando y/o manteniendo equipos de seguridad/salud. El empleador que corrige debe de tomar recaudos razonables para prevenir y detectar violaciones y cumplir con sus obligaciones de corregir los factores de riesgo.

325. **El Empleador que Controla:** Es el empleador con autoridad de supervisión general sobre el lugar de trabajo, incluyendo la autoridad para corregir las violaciones de seguridad y de salud o para ordenar a otros que lo hagan. Un empleador que controla debe de tomar recaudos razonables para evitar y detectar violaciones a la seguridad en el lugar de trabajo.

326. Ruido (Vea Protección para los Oídos)

327. Conductores Externos y Lámparas

328. Los conductores abiertos deben de tener los siguientes espacios libres como mínimo:

329. (1) 10 pies (3.05 m) — sobre calzadas, rampas terminadas, o cualquier plataforma o superficie saliente desde la cual se puedan alcanzar.

330. (2) 12 pies (3.66 m) — sobre áreas donde pase tráfico vehicular, que no sea tráfico de camiones.

331. (3) 15 pies (4.57 m) — sobre áreas que no sean las especificadas en (4), donde pase tráfico de camiones.

332. (4) 18 pies (5.49 m) — sobre calles, callejones, carreteras, y caminos abiertos al público. **§1926.404(c)(1)(ii)**

333. Los conductores ubicados por encima del espacio de techo accesible para los empleados a pie debe de tener un espacio libre desde el punto más alto de la superficie del techo de no menos de 8 pies (2.4 metros) de espacio libre vertical para conductores aislados, no menos de 10 pies (3 metros) de espacio vertical o diagonal para conductores cubiertos, y no menos de 15 pies (4.6 metros) para conductores sin cobertura, salvo en los siguientes casos:

334. • Cuando el tráfico vehicular también tenga acceso al espacio de techo, el espacio vertical no deberá ser inferior a los 18 pies (5.49 m), o

335. • Cuando los empleados a pie no tengan acceso normalmente al espacio de techo, los conductores totalmente aislados deberán tener un espacio libre vertical o diagonal de no menos de 3 pies (914 mm), o

336. • Cuando el voltaje entre los conductores sea de 300 voltios o inferior y el techo tenga una pendiente de no menos de 4 pulgadas (102 mm) en 12 pulgadas (305 mm), el espacio libre desde los techos deberá ser de por lo menos 3 pies (914 mm), o

337. • Cuando el voltaje entre los conductores sea de 300 voltios o menos y los conductores no pasen sobre más de 4 pies (1.22 m) de la porción suspendida del techo y terminen en un conducto o soporte que atraviese el techo, el espacio libre desde los techos deberá ser de por lo menos 18 pulgadas (457 mm.) **§1926.404(c)(1)(iv)**

338. Espacios Cerrados Que Requieren de un Permiso (Vea Espacios Cerrados)

339. Equipo de Protección Personal (Vea También Protección de los Ojos y el Rostro; Protección para la Cabeza; Protección para los Oídos; Protección Respiratoria)

340. El empleador tiene la responsabilidad de exigir que se utilice el equipo de protección personal adecuado durante todas las operaciones en que los empleados se vean expuestos a condiciones de riesgo o si se indica que es necesario utilizar dicho equipo para disminuir los riesgos a los que están expuestos los empleados. **§§1926.28(a) y 1926.95(a)-(c)**

341. Los empleados que trabajan en o cerca del agua, donde exista el peligro de ahogamiento, deben de contar con chalecos salvavidas o chalecos de trabajo flotantes aprobados por la Guardia Costera de los EE.UU. **§1926.106(a)**

342. Herramientas Accionadas a Pólvora/Grapadoras Neumáticas

343. Sólo al personal capacitado se deberá permitir a operar las herramientas accionadas a pólvora. **§1926.302(e)(1)**

344. Todas las herramientas accionadas a pólvora se deberán probar diariamente antes de ser utilizadas y todos los defectos detectados antes del uso o durante el uso se deben de corregir. **§1926.302(e)(2)-(3)**

345. Las herramientas no se deberán ser cargadas hasta el momento inmediatamente anterior al uso. Las herramientas que ya están cargadas no se deberán dejar sin supervisión. **§1926.302(e)(5)-(e)(6)**

346. Transmisión y Distribución de la Energía

347. Se deberán determinar las condiciones existentes antes de empezar el trabajo, mediante una inspección o una prueba. Dichas condiciones deberán incluir, sin limitarse a, cables y equipo energizados, condiciones de los postes, y la ubicación de los circuitos y equipos, incluyendo energía y comunicaciones, televisión por cable, y circuitos de alarmas contra incendios. **§1926.950(b)(1)**

348. Deberá ser considerado que el equipo y cables eléctricos están energizados hasta que se determine lo contrario mediante pruebas o hasta que se haga la conexión a tierra. **§§1926.950(b)(2) y 1926.954(a)**

349. Deberá determinarse el voltaje operativo de los equipos y cables antes de trabajar en o cerca de áreas energizadas. **§1926.950(b)(3)**

350. El equipo protector de caucho (hule) debe de cumplir con las disposiciones de la serie ANSI J6, y deberá pasar por una inspección ocular antes de utilizarse. **§1926.951(a)(1)(i)-(ii)**

351. El equipo protector que sea de algún material que no sea caucho debe de proporcionar una protección eléctrica y mecánica igual o superior a la del caucho. **§1926.951(a)(1)(iv)**

352. Transmisión de Energía Mecánica

353. Las correas, engranajes, ejes, poleas, ruedas dentadas, vástagos, tambores, volantes, cadenas, y otras piezas que tengan movimientos de vaivén, giratorios, o que se muevan en general deberán tener algún tipo de protección, en caso de que dichas piezas estén expuestas al contacto con los empleados o si representan un riesgo de otra manera. **§1926.300(b)(2)**

354. Las protecciones deberán cumplir con los requisitos de ANSI B15.1-1953 (R 1958), *Safety Code for Mechanical Power Transmission Apparatus*. **§1926.300(b)(2)**

355. Vehículos Industriales Motorizados (Montacargas)

356. Todos los operadores de vehículos industriales motorizados deben de ser competentes para operar un vehículo industrial motorizado de forma segura, y dicha competencia debe de quedar demostrada mediante la finalización exitosa de la capacitación y evaluación. **§1910.178(l)(1)(i), (l)(2)(iii), y (l)(6) son aplicables a la construcción según §1926.602(d)**

357. La capacitación debe de consistir en la combinación de la instrucción formal (es decir, clases, discusiones, aprendizaje interactivo por computadora, cintas de video, material escrito), capacitación práctica (demostraciones realizadas por el instructor y ejercicios prácticos realizados por el aprendiz), y evaluación del desempeño del operador en el lugar de trabajo. **§1910.178(l)(2)(ii) es aplicable a la construcción según §1926.602(d)**

358. Administración de la Seguridad del Proceso de Productos Químicos Altamente Peligrosos

359. Los empleadores deberán desarrollar un plan de acción por escrito que se refiera a la participación de los empleados y deberán consultar con éstos y con sus representantes con respecto a la implementación y el desarrollo de los análisis de los riesgos del proceso y con respecto al desarrollo de otros elementos de la administración de seguridad de procesos. **§1926.64(c)(1)-(2)**

360. El empleador, al seleccionar un contratista, debe de obtener y evaluar la información que se refiere a los programas y desempeño de seguridad del empleador contratado. **§1926.64(h)(2)(i)**

361. El empleador contratado debe de garantizar que cada empleado contratado haya recibido capacitación con respecto a las prácticas laborales necesarias para ejecutar la tarea de forma segura. **§1926.64(h)(3)(i)**

362. El empleador debe de realizar una revisión de seguridad antes de comenzar con las tareas en las instalaciones nuevas y en las instalaciones que han sido modificadas si la modificación es lo suficientemente significativa como para que sea necesario realizar un cambio en la información de seguridad de los procesos industriales. **§1926.64(i)(1)**

363. El empleador debe de establecer e implementar procedimientos por escrito para mantener la integridad permanente del equipo. **§1926.64(j)(2)**

364. Requisitos Generales de Segurid y Salud

365. El empleador debe de iniciar y mantener los programas que sean necesarios para implementar la realización de inspecciones periódicas y frecuentes en el lugar de trabajo, los materiales, y el equipo de trabajo por parte de personas capacitadas designadas para tal fin. **§1926.20(b)(1)-(2)**

366. El empleador debería de valerse de los programas de capacitación sobre seguridad y salud que suministra la Secretaría. **§1926.21(b)(1)**

367. El empleador deberá instruir a cada empleado con respecto al reconocimiento y a la prevención de condiciones inseguras y a las normas pertinentes a su entorno laboral para controlar o eliminar cualquier riesgo o evitar que se vean expuestos a enfermedades o lesiones. **§1926.21(b)(2)**

368. Se prohíbe el uso de cualquier maquinaria, herramienta, material, o equipo que no cumpla con los requisitos pertinentes de la Parte 1926. **§1926.20(b)(3)**

369. El empleador debe de permitir que sólo aquellos empleados calificados que cuenten con capacitación o experiencia operen los equipos y la maquinaria. **§1926.20(b)(4)**

370. Persona Calificada

371. Una persona calificada es aquélla que, por contar con un título, certificado, o capacidad profesional reconocidos, o que debido a sus amplios conocimientos, capacitación, y experiencia, ha demostrado con éxito su aptitud para solucionar o resolver problemas relacionados con un tema específico, la tarea, o el proyecto. **§1926.32(m)**

372. Radiación Ionizante

373. Se aplican las disposiciones pertinentes de la Comisión Reguladora Nuclear (NRC) (10 CFR Parte 20) relacionadas a la protección contra la exposición ocupacional a radiación. **§1926.53(a)**

374. Cualquier actividad que involucre el uso de materiales radiactivos o rayos X, ya sea que cuente o no con la licencia de la Comisión Reguladora Nuclear, deberá ser ejecutada por personas especialmente capacitadas para la operación adecuada y segura de dicho equipo. **§1926.53(b)**

375. Barandales (Vea También Escaleras)

376. El borde superior de los barandales superiores o de los sistemas de protección mediante barandales debe de tener una altura vertical de aproximadamente 42 pulgadas (106.6 centímetros) más o menos 3 pulgadas (7.6 centímetros) por sobre el nivel de tránsito/de trabajo. **§1926.502(b)(1)**

377. Los sistemas de protección mediante barandillas deben de tener recubierto para evitar que el empleado sufra lesiones, con una solidez suficiente para soportar por lo menos 200 libras (90 kilogramos), el requisito mínimo que se aplica en cualquier dirección ascendente o descendente, en cualquier punto a lo largo del borde superior. **§1926.502(b)(3) y (6)**

378. El pasamanos de una escalera debe de estar construido de forma similar a un barandal estándar, con una altura vertical de 36 pulgadas (91.5 centímetros) desde la superficie superior de la baranda, hasta la superficie del escalón alineado con la cara del contraescalón del borde anterior del escalón. **§1926.1052(c)(3)(I)**

379. Mantenimiento de Registros: Requisitos para los Informes y Registros

380. Todos los empleadores deben de registrar y presentar un informe acerca de cualquier caso de muerte, enfermedad, y lesión laboral que se produzca en cada uno de sus establecimientos. Se debe de utilizar un Registro 300 de OSHA y un Formulario 301 de OSHA para informes sobre lesiones y enfermedades, o un formulario equivalente para todas las lesiones y enfermedades que se produzcan en dicho establecimiento. El empleador debe de registrar cada uno de estos sucesos a más tardar siete días de calendario a partir del momento en que se reciba la información. **§§1904.7 y 1904.29(b)(3)**

381. En caso de que se produzca un accidente laboral que cause la muerte de uno o más empleados o que, como resultado de dicho accidente, tres o más empleados deban ser hospitalizados, el empleador debe de realizar un informe verbal en la oficina de área de OSHA más cercana dentro de las 8 horas. También puede utilizar el número de teléfono de la central de OSHA: 1-800-321-OSHA. **§1904.39(a).** NOTA: El empleador siempre debe de informar acerca de los incidentes que tengan como resultado la muerte o la hospitalización de tres o más empleados, aunque no tenga que mantener un Registro 300.

382. El empleador debe de mantener un Registro 300 por separado para cada establecimiento que, según las expectativas, esté en funcionamiento durante 1 año o un período más prolongado. El empleador puede mantener los registros en una computadora siempre que dicha computadora pueda generar formularios equivalentes. El empleador también puede mantener los registros correspondientes al establecimiento en la sede central o en otra ubicación central, siempre y cuando pueda cumplir con los requisitos de tiempo que estipulan que es necesario registrar cada uno de los sucesos sujetos a registro dentro de los 7 días de calendario y que pueda suministrar copias de los registros a los empleados gubernamentales autorizados dentro de las 4 horas laborables, así como también suministrar copias a los empleados, ex-empleados, o a sus representantes al finalizar el siguiente día laborable. **§§1904.29(b)(3) y (5), 1904.30, 1904.35(b)(2)(v)(A), y 1904.40(a)**

383. Los 8 Pasos a Seguir para Mantener los Registros

384. Paso 1: ¿Su establecimiento está obligado a mantener registros? Generalmente, en la industria de la construcción, es necesario mantener un Registro 300 si ha contratado a más de 10 empleados de forma simultánea en todas las tareas en cualquier momento durante el último año. **§§1904.1, 1904.2, y 1904.3**

385. Paso 2: ¿La persona involucrada era un empleado de su empresa? Generalmente, si la persona lesionada es responsable ante usted por su trabajo, entonces se considera que es empleado suyo. **§1904.31**

386. Paso 3: ¿El accidente fue un accidente laboral? Si el incidente se produjo durante el horario de trabajo o mientras desarrollaba alguna actividad relacionada con el trabajo, normalmente se considera como accidente laboral. **§1904.5**

387. Paso 4: ¿Este es un nuevo caso? Normalmente se considera nuevo caso si el empleado no ha sufrido anteriormente una lesión o enfermedad del mismo tipo que afecte esa misma parte del cuerpo y que ya haya sido registrada. **§1904.6**

388. Paso 5: ¿Este incidente tuvo como resultado una muerte, días sin trabajar, restricción del trabajo o del movimiento, tratamiento médico más avanzado que los simples primeros auxilios, pérdida del conocimiento o diagnóstico médico significativo, etc.? **§1904.7**

389. Si la respuesta a cualquiera de los primeros cinco pasos es "no," no debe de anotar el incidente en el Registro 300. De lo contrario, continúe con el Paso 6:

390. Paso 6: Defina el caso para el Registro 300. Complete el Formulario 301 o un formulario equivalente para cada caso y luego ingrese los datos en el Registro 300. Debe de hacerlo dentro de los 7 días de calendario. **§1904.29(b)(3)**

391. Paso 7: Evalúe el alcance y los resultados. Deberá realizar un seguimiento de todos los días calendarios durante los cuales el empleado no ha asistido a trabajar o ha tenido que restringir sus actividades laborales debido al incidente o, si se espera que el período de recuperación sea prolongado, realizar una estimación de los días de calendario durante los cuales la capacidad laboral del empleado se verá restringida. **§1904.7**

392. Paso 8: Complete, muestre y guarde los registros. Debe de guardar el Registro 300 y todos los Formularios 301 para informes acerca de incidentes durante cinco años a partir de la finalización del año calendario que abarcan estos registros. También debe de actualizar el Registro 300 si la lesión o enfermedad registrada para el empleado se agrava durante esos cinco años. El empleador debe de suministrar un resumen anual de las lesiones y enfermedades para cada establecimiento utilizando un Formulario 300A de OSHA. El formulario correspondiente al establecimiento se debe de exhibir en un lugar público a partir del 1 de febrero del año siguiente al año que abarcan los registros y se debe de mantener a la vista hasta el 30 de abril de dicho año. El Formulario 300A se debe de exhibir en una ubicación fácilmente visible, donde habitualmente se coloquen los avisos para los empleados. **§§1904.32 y 1904.33**

393. ## Acero Reforzado

394. Todos los elementos de acero reforzado que sobresalgan y sobre los cuales los empleados podrían caer deben de estar protegidos para eliminar el riesgo de empalamiento. **§1926.701(b)**

395. ## Protección Respiratoria (Vea También Equipo de Protección Personal)

396. En casos de emergencia, o cuando los controles de ingeniería o administrativos factibles no resulten eficaces para controlar las sustancias tóxicas, el empleador debe de proporcionar equipos de protección respiratoria que los empleados deberán utilizar. **§1910.134(a)(1) y (d)(3)(i) son aplicables a la construcción según by §1926.103**

397. Los dispositivos de protección respiratoria deben de estar aprobados por National Institute for Occupational Safety and Health o ser aceptados por U.S. Department of Labor para el contaminante específico al que el empleado está expuesto. **§1910.134(d)(1)(ii) es aplicable a la construcción según §1926.103**

398. Los dispositivos de protección respiratoria deberán ser los adecuados para el material peligroso involucrado, el alcance y la naturaleza de los requisitos y condiciones del trabajo. **§1910.134(d)(1)(I) es aplicable a la construcción según §1926.103**

399. Los empleados que deban de usar dispositivos de protección respiratoria deberán recibir amplia capacitación con respecto a su uso. **§1910.134(k) es aplicable a la construcción según §1926.103**

400. El equipo de protección respiratorio se deberá inspeccionar de forma regular y se deberá mantener en buenas condiciones. **§1910.134(h)(3) es aplicable a la construcción según §1926.103**

401. ## Aparejos (Vea También Grúas y Grúas de Maniobra; Mecanismos de Elevación, para Material y Personal)

402. Se deberán inspeccionar las cuerdas metálicas, las cadenas, las cuerdas, y otros equipos de sujeción antes de cada uso y de ser necesario durante su uso a fin de verificar que sean seguros. Los artículos defectuosos deberán quedar fuera de servicio. **§1926.251(a)(1)**

403. No deberán utilizarse ganchos, eslabones, o fijadores temporarios hechos en el taller con pernos, varillas, u otros elementos por el estilo. **§1926.251(b)(3)**

404. Cuando se utilizan pernos en U para empalmes de ojal, se deberá aplicar el perno en U de manera que la "U" quede en contacto con el extremo muerto de la cuerda. **§1926.251(c)(5)(i)**

405. Cuando se utilizan abrazaderas de cuerdas metálicas con pernos en U para formar ojales, se deberá utilizar la siguiente tabla para determinar la cantidad y el espaciado de las abrazaderas. **§1926.251(c)(5)**

406.

Cantidad y Espaciado de Abrazaderas de Cable Metálico con Pernos en U

Acero de arado mejorado, diámetro del cable (pulgadas)	Cantidad de abrazaderas		Espaciado mínimo (pulgadas)
	Forjado a martinete	Otros materiales	
1/2 (1.27 cm)	3	4	3 (7.62 cm)
5/8 (1.58 cm)	3	4	3 3/4 (8.37 cm)
3/4 (1.9 cm)	4	5	4 1/2 (11.43 cm)
7/8 (2.22 cm)	4	5	5 1/4 (12.95 cm)
1 (2.54 cm)	5	6	6 (15.24 cm)
1 1/8 (2.665 cm)	6	6	6 3/4 (15.99 cm)
1 1/4 (2.79 cm)	6	7	7 1/2 (19.05 cm)
1 3/8 (2.915 cm)	7	7	8 1/4 (20.57cm)
1 1/2 (3.81 cm)	7	8	9 (22.86 cm)

§1926.251(c)(5)

407. Estructuras de Protección en Caso de Volcar (ROPS)

408. Las estructuras de protección en caso de volcar (ROPS) se aplican para los siguientes tipos de equipos de manipulación de materiales: todas las trailas autopropulsadas con llantas de goma, las cargadoras frontales con llantas de goma, los acarreadores con llantas de goma, los tractores de rueda industriales y para agricultura, los tractores oruga, las cargadoras de tipo oruga, y las motoniveladoras, con o sin accesorios, que se utilizan para tareas de construcción. Este requisito no se aplica en el caso de tractores para instalación de tubos con aguilón lateral. **§1926.1000(a)(1)**

409. Sogas (Vea Aparejos)

410. Redes de Seguridad

411. Las redes de seguridad se deben de instalar lo más cerca posible por debajo de la superficie de tránsito/de trabajo sobre la que los empleados estén trabajando, pero en ningún caso a más de 30 pies (9.1 metros) por debajo de dicho nivel. Cuando las redes se utilizan en puentes, el área de caída potencial desde la superficie de tránsito/de trabajo hasta la red, no deberá estar obstruida. **§1926.502(c)(1)**

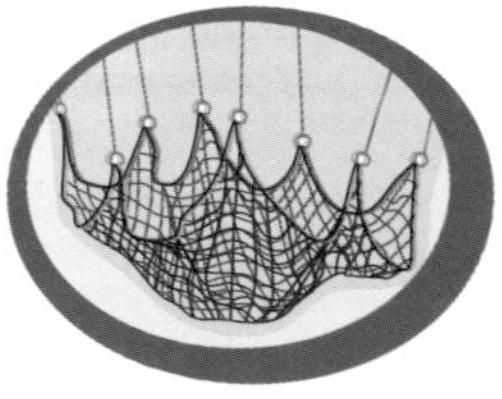

412. Las redes de seguridad y sus instalaciones deben de ser capaces de soportar una fuerza de choque igual a la producida por la prueba de caída. **§1926.502(c)(4)**

413. **Capacitación e Instrucción sobre Seguridad**

414. El empleador debe de instruir a cada empleado con respecto al reconocimiento y a la prevención de condiciones inseguras y a las normas pertinentes a su entorno laboral para controlar o eliminar cualquier riesgo o evitar que se vean expuestos a enfermedades o lesiones. **§1926.21(b)(2)**

415. **Sierras (Vea También Maquinaria para Carpintería)**

416. Sierras de Banda

417. Todas las partes de las cuchillas de las sierras de banda deben de estar cubiertas o protegidas, salvo la parte de trabajo de la cuchilla ubicada entre la parte inferior de los rodillos de guía y la mesa. **§1926.304(f), incorporados por referencia de ANSI 01.1-1961, *Safety Code for Woodworking Machinery***

418. Las ruedas de la sierra de banda deben de estar totalmente cubiertas. **§1926.304(f), incorporados por referencia de ANSI 01.1-1961, *Safety Code for Woodworking Machinery***

419. Sierras Circulares Portatiles

420. Las sierras portátiles circulares accionadas con energía eléctrica deben de estar equipadas con dispositivos de protección por encima y por debajo de la placa base o zapata. El dispositivo de protección inferior deberá cubrir la sierra hasta la profundidad de los dientes, excepto el arco mínimo requerido para permitir la retracción adecuada y el contacto con la zona de trabajo, y debe de regresar automáticamente a la posición de cobertura cuando se retira la cuchilla. **§1926.304(d)**

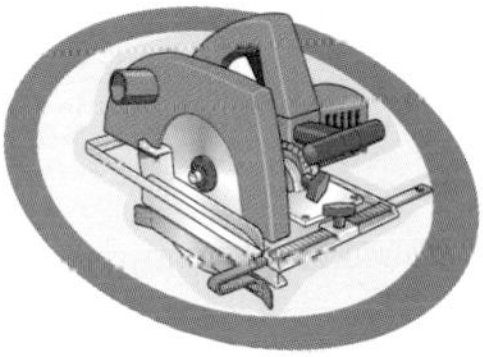

421. Las sierras circulares deben de tener un interruptor de presión constante que desconecte la alimentación cuando se libera la presión. **§1926.300(d)(3)**

422. Sierras Radiales

423. Las sierras radiales deberán tener un dispositivo de protección superior que cubra totalmente la mitad superior de la cuchilla de la sierra. Los lados de la parte inferior expuesta deberán estar protegidos mediante un dispositivo que se ajuste de forma automática al grosor y permanezca en contacto con el material que se está cortando. **§1926.304(g)(1)**

424. Las sierras radiales que se utilizan para desgarrar, deberán tener abrazaderas o trinquetes que protejan contra los culatazos. **§1926.304(f), incorporados por referencia de ANSI 01.1-1961, *Safety Code for Woodworking Machinery***

425. Las sierras radiales se deben de instalar de modo que el cabezal de corte vuelva a la posición inicial cuando el operador lo suelte. **§1926.304(f), incorporados por referencia de ANSI 01.1-1961, *Safety Code for Woodworking Machinery***

426. Sierras de Corte Oscilante o Deslizante

427. Todas las sierras de corte oscilante o deslizante deberán tener una tapa que cubra por completo la mitad superior de la sierra. **§1926.304(f), incorporados por referencia de ANSI 01.1-1961, *Safety Code for Woodworking Machinery***

428. Deben de colocarse paradas de lìmite, para evitar que las sierras de corte de tipo oscilante o deslizante continúen el recorrido más allá del borde delantero o trasero de la mesa. **§1926.304(f), incorporados por referencia de ANSI 01.1-1961, *Safety Code for Woodworking Machinery***

429. Cada sierra de corte oscilante o deslizante deberá tener un dispositivo eficaz para que la sierra vuelva automáticamente a la parte posterior de la mesa cuando se suelte en cualquier punto del recorrido. **§1926.304(f), incorporados por referencia de ANSI 01.1-1961, *Safety Code for Woodworking Machinery***

430. La sierra invertida de las sierras de corte de tipo deslizante deberá tener una tapa que cubra la parte de la sierra que sobresale por encima de la parte superior de la mesa o del material que se corta. **§1926.304(f), incorporados por referencia de ANSI 01.1-1961, *Safety Code for Woodworking Machinery***

431. Sierras de Mesa

432. La sierra circular de mesa deberá tener una tapa sobre la parte de la sierra ubicada sobre la mesa, montada de tal modo que la tapa se ajuste automáticamente al grosor y permanezca en contacto con el material que se corta. **§1926.304(h)(1)**

433. Las sierras circulares de mesa deberán tener una cuchilla separadora alineada con la cuchilla, separadas por un espacio de no más de 1/2 pulgada (1.27 centímetros) por detrás de la cuchilla de mayor tamaño montada en la sierra. Esta disposición no se aplica en el caso del trabajo de ranurado. **§1926.304(f), incorporados por referencia de ANSI 01.1-1961, *Safety Code for Woodworking Machinery***

434. Las sierras circulares de mesa que se utilizan para aserrar a lo largo deberán tener abrazaderas o trinquetes para evitar los culatazos. **§1926.304(f), incorporados por referencia de ANSI 01.1-1961, *Safety Code for Woodworking Machinery***

435. Los accesorios del dispositivo alimentador deberán tener los rodillos de alimentación u otras piezas móviles cubiertas o protegidas de tal modo que el operador esté protegido contra los puntos peligrosos. **§1926.304(c)**

436. **Andamios**

437. Requisitos Generales

438. Un andamio es cualquier plataforma elevada provisionalmente (soportada o suspendida) y la estructura de apoyo (incluyendo los puntos de anclaje) que es empleados para soportar a los empleados y materiales o a ambos. **§1926.450(b)**

439. Todo empleado que realice tareas sobre un andamio debe de recibir capacitación de parte de una persona calificada para reconocer los riesgos asociados con el tipo de andamio utilizado y comprender los procedimientos que se utilizan para controlar o disminuir dichos riesgos. La capacitación debe de incluir temas como, por ejemplo, la naturaleza de los peligros eléctricos, los riesgos de caídas, los riesgos de objetos que caen, el mantenimiento y el desmontaje de los sistemas de protección contra caídas, el uso de andamios, la manipulación de los materiales, la capacidad y la carga máxima planeada. **§1926.454(a)**

440. Se debe de equipar de protección contra caídas (sistemas de protección mediante barandales y sistemas personales de detención de las caídas) para cada empleado sobre un andamio a más de 10 pies (3.1 metros) por encima del nivel inferior. **§1926.451(g)(1)**

441. Cada andamio y cada componente del andamio debe de soportar, sin excepción, su propio peso y por lo menos 4 veces la carga máxima determinada que se aplica o transmite al andamio. Las sogas de suspensión y los componentes de conexión deben de soportar 6 veces la carga planeada. Los andamios y los componentes del andamio no se deberán sobrecargar más allá de las cargas máximas determinadas o de las capacidades nominales asignadas, lo que sea menor. **§1926.451(a)(1), (a)(4), y (f)(1)**

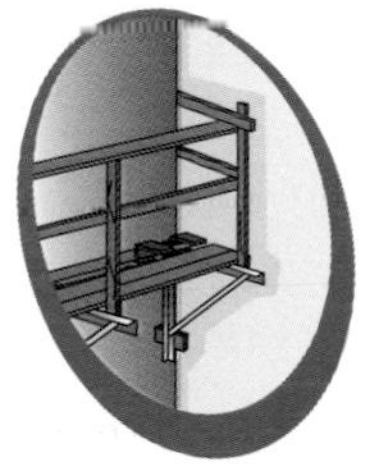

442. La plataforma del andamio se debe de entarimar o entablar del modo más completo posible. **§1926.451(b)(1)**

443. La plataforma no deberá curvarse más de 1/60 de su longitud al cargarla. **§1926.451(f)(16)**

444. El área de trabajo para cada plataforma del andamio y la pasarela deberá tener por lo menos 18 pulgadas (46 centímetros) de ancho. Cuando el área de trabajo debe de tener menos de 18 pulgadas (46 centímetros) de ancho, se deberán seguir utilizando sistemas de protección mediante barandales y/o sistemas personales de detención de las caídas. **§1926.451(b)(2)**

445. Se debe de proporcionar un acceso cuando las plataformas del andamio estén ubicadas a más de 2 pies (0.6 metros) por encima o por debajo de un punto de acceso. Se permite el acceso directo cuando el andamio no tiene más de 14 pulgadas (36 centímetros) en sentido horizontal y no más de 24 pulgadas (61 centímetros) en sentido vertical en relación con las demás superficies. Los arriostros transversales no se deben de usar como medio de acceso. **§1926.451(e)(1) y (8)**

446. Una persona capacitada deberá ser la encargada de inspeccionar los andamios, los componentes del andamio, y las sogas de los andamios suspendidos antes de cada cambio de turno y después de cualquier incidente que pudiera afectar la integridad estructural y autorizar medidas correctivas a la brevedad. **§§1926.450(b) y 1926.451(f)(3) y (10)**

447. Albañilería

448. Los empleados que realicen trabajos de albañilería en lo alto desde un andamio soportado deben de estar protegidos por medio de un barandal o un sistema personal de detención de caídas en todos los lados excepto en el lado donde se realiza el trabajo. **§1926.451(g)(1)(vi)**

449. Personas Encargadas de la Construcción y del Desmantelamiento

450. Una persona capacitada deberá determinar la viabilidad del acceso seguro y la protección contra caídas para los empleados que levantan y desarman andamios soportados. **§1926.451(e) y (g)(2)**

451. Sistemas de Detención de Caídas

452. Los sistemas de detención de caídas incluyen arneses, componentes del cinturón/arnés como, por ejemplo, anillos en D, mosquetones, cables salvavidas, y puntos de anclaje de 5,000 libras (22.2 kN). **§§1926.451(g)(3) y 1926.502 (d)(15)**

453. Se pueden usar cables salvavidas verticales u horizontales. **§1926.451(g)(3)(ii)-(iv)**

454. Los cables salvavidas deberán ser independientes de las líneas de soporte y las sogas de suspensión y no se deben de conectar a los mismos puntos de anclaje que las líneas de soporte o las sogas de suspensión. **§1926.451(g)(3)(iii)-(iv)**

455. Al trabajar desde un aparato elevador, el amarre de sistema de detención de caídas deberá estar conectado al elevador o la canasta. **§1926.453(b)(2)(v)**

456. Barandales

457. Los barandales deben de instalarse a lo largo de todos los extremos de espacios abiertos y antes de que se libere el andamio para su uso por parte de empleados que no pertenezcan a los equipos de armado y desarmado. Los sistemas de barandales se deben de instalar antes de que el andamio pueda ser utilizado por los empleados para realizar tareas que no sean de construcción/desmantelamiento. No es necesario colocar barandales sobre el borde delantero de una plataforma si este borde está a menos de 14 pulgadas (36 centímetros) de la fachada del edificio. Cuando se realizan tareas de revoque y enlistonado la distancia es de 18 pulgadas (46 centímetros) o menos del borde delantero. Cuando los largueros de los andamios están unidos a andamios soportados, la distancia es de 3 pulgadas (8 centímetros) o menos del borde delantero del larguero. **§1926.451(b)(3) y (g)(4)**

458. El barandal superior de los andamios deberá tener una altura de 38 pulgadas (0.97 metros) a 45 pulgadas (1.2 metros) desde la plataforma. Los barandales centrales se deben de instalar aproximadamente a mitad de camino entre el barandal superior y la superficie de la plataforma. Se deben de utilizar tablones de pie para proteger a los trabajadores que realizan tareas debajo del andamio. **§§1926.451(g)(4)(ii) y (iii) y 1926.502(j)(1)**

459. Si se utilizan cercas y mallas como barandales, deben de colocarse desde el borde superior del sistema de barandales hasta la plataforma del andamio y a lo largo de la totalidad de la abertura entre los soportes. **§1926.451(g)(4)(v)**

460. El arriostramiento transversal no se acepta como sistema de barandales total; sin embargo, es aceptable para un barandal superior si el punto de intersección de las dos riostras se produce entre 38 pulgadas (0.9 metros) y 48 pulgadas (1.3 metros) por encima de la plataforma de trabajo y para los barandales centrales si se produce entre 20 pulgadas (0.5 metros) y 30 pulgadas (0.8 metros) por encima de la plataforma de trabajo. Los puntos finales del arriostramiento transversal no deben de estar separados verticalmente por una distancia mayor que 48 pulgadas (1.3 metros). **§1926.451(g)(4)(xv)**

461. Andamios Móviles

462. La base de apoyo de los andamios soportados debe de estar nivelada y poder soportar el andamio cuando está cargado. Los soportes, postes, armazones, y montantes deben de estar apoyados sobre placas base y zapatas de asiento. **§1926.451(c)(2)**

463. Las plataformas de los andamios soportados deben de estar totalmente entablonadas. **§1926.451(b)**

464. Un empleado que esté sobre un andamio a más de 10 pies (3.1 metros) por encima del nivel inferior debe de estar protegido contra las caídas mediante barandales o un sistema de detención de caídas, salvo en el caso de andamios de suspensión ajustables de uno o dos puntos. Un empleado que esté sobre un andamio de suspensión ajustable de uno y dos puntos debe de estar protegido mediante un sistema personal de detención de caídas y un barandal. **§1926.451(g)(1)**

465. Entarimado

466. El entarimado del andamio debe de poder soportar, sin excepción, su propio peso y por lo menos 4 veces el peso de la carga determinada. Se puede utilizar madera sólida aserrada, tablas manufacturadas, y plataformas manufacturadas como tablas para los andamios siguiendo las recomendaciones del fabricante o una asociación de clasificación de madera aserrada o de una entidad de inspección. Las tablas que indican las envergaduras máximas admisibles, la capacidad de carga máxima admisible y el grosor nominal, etc., aparecen en el Apéndice A de la Subparte L (1)(b) y (c). **§1926.451(a)(1)**

467. Andamios Soportados

468. Los andamios soportados son plataformas que se apoyan en soportes, vigas de puntales, ménsulas, postes, montantes, columnas, armazones u otros medios similares de sostén rígido. Los miembros estructurales —postes, soportes, armazones y montantes — deberán estar aplomados y apuntalados para evitar que se balanceen y se desplacen. **§1926.451(b)-(c)**

469. Los postes, soportes, columnas, armazones y montantes de los andamios soportados deben de estar apoyados sobre placas base y zapatas de asiento u otro tipo de base sólida adecuada. **§1926.451(c)(2) y (c)(2)(i)-(ii)**

470. Se deberán de utilizar las recomendaciones del fabricante o las siguientes colocaciones para los tirantes, las ataduras y las riostras: los tirantes, las ataduras y las riostras se deben de instalar en el miembro horizontal más cercano a la altura de 4:1 y se deben de repetir en sentido vertical con la restricción superior a una altura que no sea mayor que 4:1 desde la parte superior:

471. Verticalmente

472. • cada 20 pies (6.1 metros) o menos para andamios que tengan menos de 3 pies (0.9 metros) de ancho;

473. • cada 26 pies (7.9 metros) o menos para andamios que tengan más de 3 pies (0.9 metros) de ancho;

474. Horizontalmente

475. • en cada extremo;

476. • a intervalos que no superen los 30 pies (9.1 metros) medidos desde un extremo. **§1926.451(c)**

477. Andamios de Suspensión

478. Un empleado que esté sobre un andamio a más de 10 pies (3,1 metros) por encima del nivel inferior debe de estar protegido de las caídas mediante barandales y un sistema personal de detención de caídas al trabajar en andamios de suspensión ajustables de uno o dos puntos y en andamios ajustables independientes sostenidos mediante sogas. **§1926.451(g)(1)(ii) y (iv)**

479. Un empleado que esté sobre un andamio a más de 10 pies (3.1 metros) por encima del nivel inferior debe de estar protegido contra las caídas mediante un sistema personal de detención de caídas al trabajar en un asiento colgante, una rampa de entrada, un volador, un flotante o un andamio catenario. **§1926.451(g)(1)(i)**

480. Los cables salvavidas deberán ser independientes de las líneas de soporte y las sogas de suspensión y no se deben de conectar a los mismos puntos de anclaje que las líneas de soporte o las sogas de suspensión. **§1926.451(g)(3)(iii) y (iv)**

481. Una persona competente deberá inspeccionar las sogas en busca de defectos antes de cada cambio de turno y después de cualquier incidente que pueda afectar la integridad de la soga, evaluará las conexiones directas que soportan la carga y determinará si los andamios de dos puntos y multipunto están apuntalados para evitar que se balanceen. **§1926.451(d)(3)(i), (d)(10), (d)(18), y (f)(3)**

482. Se prohíbe el uso de cables metálicos que hayan sido reparados. **§1926.451(d)(7)**

483. Los amarres deben de estar atados a un anclaje estructuralmente sólido del edificio o de la estructura. Los amarres no se deben de atar a tubos verticales, respiraderos u otros sistemas de tuberías o conductos eléctricos. **§1926.451(d)(3)(ix) y (d)(5)**

484. Se debe de instalar un solo amarre de forma perpendicular a la fachada del edificio o de la estructura. Es necesario instalar dos amarres en ángulos opuestos si no se puede instalar un amarre perpendicular. **§1926.451(d)(3)(x)**

485. Sólo se deberán utilizar aquellos elementos diseñados específicamente para actuar como contrapeso. No se debe de utilizar como contrapesos arena, grava, unidades de mampostería, rollos de fieltrado para techos y otros materiales semejantes. **§1926.451(d)(3)(ii) y (iii)**

486. Los contrapesos que se utilizan en el caso de andamios de suspensión deberán estar confeccionados con materiales que no se puedan dislocar con facilidad. **§1926.451(d)(3)(ii)**

487. Los contrapesos deben de estar asegurados por medios mecánicos a las vigas de los puntales. **§1926.451(d)(3)(iv)**

488. Letreros, Señales, y Barreras

489. Se deben de colocar señales de tráfico legibles en los puntos de riesgo de las áreas de construcción. **§1926.200 (g)(1)**

490. Las barreras que se utilizan como protección a los empleados deben de estar de acuerdo con el *Manual on Uniform Traffic Control Devices*, Parte 6 del Department of Transportation. **§1926.202(g)(2)**

491. Sílice

492. Se deben de realizar controles de ingeniería adecuados, utilizar equipo de protección personal, respiradores y prácticas laborales para proteger a los empleados del sílice cristalino. **§1926.55 y OSHA Special Emphasis Program for Silicosis 5/2/96**

493. Escaleras (Vea También Barandales)

494. Debe de haber una escalera o escalera de mano en todos los puntos de acceso para el trabajador en los que haya un desnivel en la elevación de 19 pulgadas (48.3 centímetros) o más y no haya ninguna rampa, senda, terraplén inclinado, o medio de elevación personal. **§1926.1051(a)**

495. Salvo durante la construcción de la escalera en sí, no se deben de utilizar estructuras y escalones de marco de metal (en los que se instalarán peldaños y/o rellanos amarres en una fecha posterior) a menos que los escalones estén colocados y asegurados sobre peldaños y rellanos amarres temporarios asegurados. **§1926.1052(b)(2)**

496. Si hay un solo punto de acceso entre los niveles, este punto de acceso no debe de estar obstruido para permitir que los trabajadores puedan transitar libremente. Si el libre tránsito se ve restringido, se debe de habilitar y utilizar un segundo punto de acceso. **§1926.1051(a)(3)**

497. Si hay más de dos puntos de acceso entre los niveles, por lo menos uno de los puntos de acceso debe de estar libre de obstáculos. **§1926.1051(a)(4)**

498. Todos los sistemas de protección contra caídas en escaleras y escaleras de mano deben de suministrarse e instalarse según lo que establecen las normas para escaleras y escaleras de mano *antes* de que los empleados comiencen a realizar tareas para las que sea necesario que utilicen escaleras o escaleras de mano y los respectivos sistemas de protección contra caídas. **§1926.1051(b)**

499. Las escaleras que no formen parte permanente de la estructura sobre la cual se realizan trabajos de construcción deben de tener rellanos amarres de por lo menos 30 pulgadas de profundidad y 22 pulgadas de ancho (76.2 x 55.9 centímetros) cada 12 pies (3.7 metros) o menos de elevación vertical. **§1926.1052(a)(1)**

500. Las escaleras se deben de instalar por lo menos a 30 grados, y a no más de 50 grados, del nivel horizontal. **§1926.1052(a)(2)**

501. Si hay puertas o cercas que se abren directamente sobre una escalera, se debe de colocar una plataforma, y la oscilación de la puerta no deberá reducir el ancho efectivo de la plataforma a menos de 20 pulgadas (51 centímetros). **§1926.1052(a)(4)**

502. Salvo durante la construcción de la escalera en sí, no se deben de utilizar escaleras con rellanos amarres y peldaños de paneles de metal si éstos no han sido rellenados con cemento u otro material, a menos que los paneles de las escaleras y/o rellanos amarres estén rellenados temporalmente con madera u otro material. Todos los peldaños y rellanos amarres se deben de reemplazar cuando el borde superior del panel de metal se desgaste. **§1926.1052(b)(1)**

503. Las escaleras que tengan cuatro o más contraescalones, o que tengan una altura de más de 30 pulgadas (76 centímetros), lo que sea menor, deberá tener por lo menos un pasamanos. Un barandal de la escalera también se debe de instalar a lo largo de cada uno de los lados o bordes que no estén protegidos. Cuando el borde superior del sistema del barandal de escalera también sirve como pasamanos, la altura del borde superior no debe de tener más de 37 pulgadas (94 centímetros) ni menos de 36 pulgadas (91.5 centímetros) desde el borde superior del barandal de la escalera hasta la superficie de los peldaños alineados con el frente del contraescalón del borde anterior del peldaño. **§1926.1052(c)(1)(i)-(ii) y (c)(7)**

504. Se deben de colocar barandales intermedios, protectores, mallas, piezas verticales intermedias, o piezas estructurales intermedias equivalentes entre el barandal superior y los escalones del sistema de escalera con baranda. **§1926.1052(c)(4)**

505. Los barandales intermedios, cuando se utilizan, deben de colocarse a media distancia entre la parte superior del barandal y los escalones de la escalera. **§1926.1052(c)(4)(i)**

506. La altura del pasamanos no debe de ser superior a 37 pulgadas (94 centímetros) ni inferior a 30 pulgadas (76.2 centímetros) desde la parte superior del barandal de la escalera hasta la superficie del peldaño. **§1926.1052(c)(6)**

507. La altura del borde superior de un sistema de barandal de escalera que se utiliza como pasamanos no debe de ser superior a 37 pulgadas (94 centímetros) ni inferior a 36 pulgadas (91.5 centímetros) desde la superficie superior del barandal de la escalera hasta la superficie del peldaño, en el borde delantero del mismo. **§1926.1052(c)(7)**

508. Los pasamanos temporarios deben de tener un espacio mínimo de 3 pulgadas (7.6 centímetros) entre el pasamanos y las paredes, los sistemas de barandal de escalera, y otros objetos. **§1926.1052(c)(11)**

509. Los laterales y bordes de los descansos de la escalera que no estén protegidos deberán tener sistemas de barandales. **§1926.1052(c)(12)**

510. Construcción con Acero

511. Todo empleado que trabaje en una actividad de construcción de acero sobre una superficie de tránsito o de trabajo con un lado o borde no protegido a una altura superior a los 15 pies (4.6 m) por encima del nivel inferior deberá estar protegido contra riesgos de caídas mediante sistemas de barandales, sistemas de redes de seguridad, sistemas personales de detención de caídas, sistemas de dispositivos de posicionamiento o sistemas de prevención de caídas. **§1926.760(a)(1)**

512. Los conectores de más de dos pisos o 30 pies (9,1 metros) por encima del nivel bajo, lo que sea menor o a alturas de más de 15 pies y de hasta 30 pies por encima del nivel bajo deberán estar protegidos con un sistema personal de detención de caídas, sistema de dispositivos de posicionamiento, o sistema de prevención de caídas, o se les debe de suministrar otro medio para protegerlos contra riesgos de caídas. **§1926.760(b)(1) y (3)**

513. Se deberá suministrar capacitación a todos aquellos empleados que estén expuestos a riesgos de caídas. Se suministrará capacitación especial a los conectores, los trabajadores que cumplen tareas en zonas de pisos controlados, y aquellos trabajadores encargados de los aparejos de los elevadores múltiples. **§1926.761(c)**

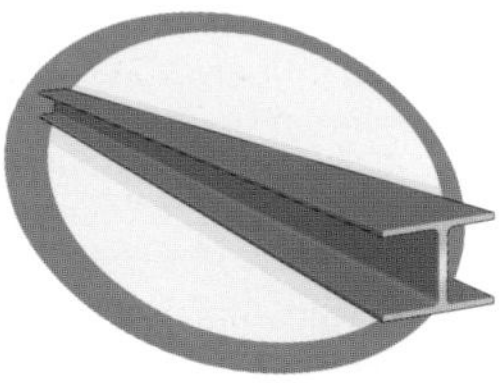

514. La construcción con acero comienza cuando se recibuna notificación por escrito que indica que el concreto (hormigón) de los cimientos, los pilares, y las paredes o la argamasa de los pilares y las paredes de mam postería tienen la suficiente solidez como para soportar las cargas impuestas durante la construcción con acero. **§1926.752(b)**

515. Las columnas deben de estar aseguradas con cuatro barras de anclaje (pernos de anclaje) como mínimo. **§1926.755(a)(1)**

516. Los miembros estructurales de alma llena deben de estar asegurados con dos pernos por conexión como mínimo antes de retirar el cable de elevación. **§1926.756(a)(1)**

517. Las viguetas de alma abierta deben de estar empernadas en cada uno de los extremos de la solera inferior antes de retirar el cable de elevación. **§1926.757(a)(1)(iii)**

518. El piso se debe de colocar bien fijo y asegurado. **§1926.754(e)(5)**

519. Las zonas de piso controlado se deben delimitar claramente y sólo aquellos empleados que se ocupan del borde de entrada, estarán autorizados a trabajar en dicha área. **§1926.760(c)**

520. Una persona competente, deberá inspeccionar las grúas utilizadas en la construcción con acero antes de cada cambio de turno. Las rutas para las cargas suspendidas, se deben de planificar a fin de garantizar que ningún empleado deba trabajar directamente debajo de la carga, salvo para realizar conexiones, enganchar o desenganchar elementos. Se deben de utilizar ganchos con trabas de cierre automático. Un aparejador calificado debe de amarrar todas las cargas. Los elevadores múltiples deberán izar cinco miembros como máximo. **§1926.753(c)(1), (d) y (e)**

521. Almacenamiento

522. Todos los materiales almacenados en pilas deberán sujetarse para evitar que resbalen, se caigan, o se derrumben. **§1926.250(a)(1)**

523. Los pasillos y corredores deberán mantenerse sin obstáculos y en buen estado. **§1926.250(a)(3)**

524. Los materiales almacenados no deberán obstruir las salidas. **§1926.151(d)(1)**

525. Los materiales deberán almacenarse teniendo en cuenta sus características en relación a los incendios. **§1926.151(d)(2)**

526. Tablones de Pie

527. Los tablones de pie, cuando se utilizan para proteger a los trabajadores de los objetos que pudieran caerse, se deberán instalar sobre el borde de la superficie de tránsito/ de trabajo. **§1926.502(j)(1)**

528. Un tablón de pie estándar debe de tener por lo menos 3-1/2 pulgadas (9 centímetros) de altura y puede estar hecho de cualquier material resistente, ya sea sólido o abierto, con aperturas que no superen 1 pulgada (2.54 centímetros) como máximo. Deben de soportar una fuerza de 50 libras (22,67 kg) en cualquier dirección sobre cualquier punto. **§1926.502(j)(2)-(3)**

529. **Escusados**

530. Se deberán proporcionar escusados teniendo en cuenta lo siguiente: 20 personas o menos — una instalación; 20 o más personas — un escusado y un urinario por cada 40 personas; 200 o más personas — un escusado y un urinario por cada 50 trabajadores. **§1926.51(c)(1)**

531. Este requisito no se aplica al personal móvil que posea un medio de transporte disponible para utilizar las instalaciones sanitarias más cercanas. **§1926.51(c)(4)**

532. **Herramientas — Manuales y Eléctricas** **(Vea También Herramientas Manuales)**

533. Todas las herramientas manuales y eléctricas y los equipos similares, suministrados ya sea por el empleador o el empleado, deben de mantenerse en condiciones seguras. **§1926.300(a)**

534. Si las herramientas eléctricas están diseñadas para que se les coloquen protecciones, deberán estar equipadas con dichas protecciones cuando se les utilice. **§1926.300(b)(1)**

535. **Construcción Subterránea**

536. El empleador deberá proporcionar y mantener medios seguros de entrada y salida de todas las estaciones de trabajo. **§1926.800(b)(1)**

537. El empleador deberá controlar el acceso a todas las aperturas para evitar el ingreso no autorizado de personas a los emplazamientos subterráneos. Los conductos, pozos de acceso, o cualquier otra apertura que no se use deberán taparse firmemente, obstruirse, o cercarse y deberán colocarse páneles que indiquen "Keep Out" (prohibido pasar) o indicaciones similares. Las secciones terminadas o sin utilizar de la instalación subterránea deberán obstruirse con barreras. **§1926.800(b)(3)**

538. A menos que las instalaciones subterráneas estén lo suficientemente avanzadas, de manera que los controles ambientales permanentes sean efectivos y que la actividad del resto de la construcción no provoque ningún riesgo ambiental o de fallo estructural dentro de la instalación, el empleador deberá mantener un procedimiento de control de entrada y salida que permita asegurar que el personal asignado a la superficie pueda determinar la cantidad precisa de personas que se encuentran trabajando en el área subterránea en caso de emergencia. **§1926.800(c)**

539. Todos los empleados deberán aprender a reconocer y evitar los riesgos asociados con las actividades de construcción subterránea. **§1926.800(d)**

540. Las clasificaciones de factores de riesgo son operaciones con presencia "potencial de gas" o presencia "confirmada de gas." **§1926.800(h)**

541. El empleador deberá nombrar a una persona competente para que realice un control exhaustivo del aire para asegurar la correcta ventilación y las mediciones cuantitativas de la existencia potencial de gases peligrosos. **§1926.800(j)(1)(i)(A)**

542. Se deberá proporcionar aire fresco a todas las áreas de trabajo subterráneas en cantidades suficientes para evitar la acumulación peligrosa o dañina de polvo, humo, neblina, vapores, o gases. **§1926.800(k)(1)(i)**

543. Aberturas en las Paredes, Construcción Subterránea

544. Todo empleado que trabaje en, sobre, encima, o cerca de aberturas en las paredes (incluyendo las que tengan canaletas instaladas), donde el borde inferior externo de la abertura de pared se encuentre a 6 pies (1.8 metros) o más por encima de los niveles más bajos y el borde inferior interno se encuentre a menos de 39 pulgadas (1 metro) por encima de la superficie de tránsito/de trabajo, deberá protegerse contra las caídas mediante un sistema de barandales, red de seguridad o sistemas personales de detención de las caídas. **§1926.501(b)(14)**

545. Cuando los empleados estén expuestos a la caída de objetos, el empleador debe de asegurarse de que cada empleado lleve puesto un casco y que se instalen tablones de pie, protectores, o sistemas de barandales; o una estructura de protección y de que se mantengan los objetos que pudieran caerse lo suficientemente alejados del borde del nivel superior; o bien colocar una barrera alrededor del área donde los objetos podrían caer. **§1926.501(c)**

546. Instalaciones para Lavarse

547. El empleador debe de proporcionar instalaciones adecuadas para lavarse para los empleados involucrados en tareas que requieren la manipulación de substancias peligrosas. **§1926.51(f)(1)**

548. Las instalaciones para lavarse deberán instalarse cerca del lugar de trabajo y deberán equiparse de tal manera que los empleados puedan eliminar las sustancias peligrosas en su totalidad. **§1926.51(f)(1)**

549. Agua para Beber (Vea Agua Potable)

550. Soldadura, Corte, y Calentamiento

551. Los empleadores deberán enseñar a los empleados a utilizar con seguridad el equipo de soldadura. **§§1926.350(d) y 1926.351(d)**

552. Se deberán tomar las precauciones adecuadas (aislar la soldadura y el corte, eliminar los riesgos de incendio de las áreas cercanas, detectar incendios) para evitar incendios en las áreas donde se trabaja con soldadura u otros trabajos con materiales a alta temperatura. No se deberá realizar ningún trabajo de soldadura, corte, o calentamiento en el mismo lugar donde la aplicación de pinturas inflamables o la presencia de otros componentes inflamables o concentración abundante de polvo pudiera provocar un riesgo de incendio. **§1926.352(a)-(c) y (f)**

553. Las operaciones con soldadura de arco y de corte deberán protegerse con protectores a prueba de fuego o no combustibles, para proteger a los empleados y otras personas que trabajen en el área de los rayos directos del arco. **§1926.351(e)**

554. Cuando los portaelectrodos deban dejarse sin supervisión, se deberán retirar los electrodos y colocar el portaelectrodos en otro lado, o bien protegerlo para que no pueda entrar en contacto eléctrico con los empleados o con objetos conductores de electricidad. **§1926.351(d)(1)**

555. Todos los cables de soldadura y de corte deberán aislarse completamente y deben de poder soportar los requisitos máximos de corriente eléctrica para la tarea. No se deberán de realizar reparaciones o empalmes a una distancia menor que 10 pies (3 metros) del portaelectrodo, salvo en un lugar donde los empalmes se puedan aislar de la misma forma que el cable. Los cables defectuosos deberán repararse o reemplazarse. **§1926.351(b)(1)-(2) y (4)**

556. Se deberán poder distinguir con facilidad los caños de gas combustible y de oxígeno y éstos no deberán ser intercambiables. Los caños deberán inspeccionarse al principio de cada turno y deberán repararse o reemplazarse si presentan algún defecto. **§1926.350(f)(1) y (3)**

557. Deberán proporcionarse, de ser necesario, ventilación mecánica general, ventilación por tubería local, respiradores de línea de aire y otras protecciones cuando se realicen tareas de soldadura, corte o calentamiento:

558. • Materiales como el zinc, el plomo, el cadmio, el cromo, el mercurio, o materiales que contengan, se deriven de o estén revestidos con berilio en espacios cerrados;

559. • Acero inoxidable con equipo de gas inerte;

560. • En espacios cerrados; y

561. • Donde una condición fuera de lo normal pudiera provocar la acumulación peligrosa de contaminantes. **§1926.353(b)(1), (c)(1)(i)-(iv), (c)(2)(i)-(iv), (d)(1)(iv), y (e)(1)**

562. Se deberá proporcionar equipo de protección ocular adecuado para evitar la exposición del personal. **§1926.353(e)(2)**

563. Maquinaria para Carpintería (Vea También Sierras)

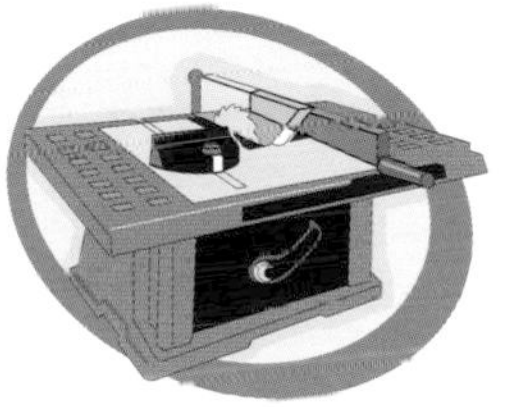

564. Todas las herramientas eléctricas fijas para el trabajo con madera deberán tener un interruptor de desconexión que se pueda trabar o señalizar en la posición de desconexión. **§1926.304(a)**

565. Todas las herramientas y maquinarias destinadas al trabajo con madera deberán cumplir con los requisitos aplicables de la norma ANSI 01.1-1961, *Safety Code for Woodworking Machinery.* **§1926.304(f)**